Sont parus dans cette collection :

1. *Croc-Blanc*
2. *La case de l'oncle Tom*
3. *Heidi, fille de la montagne*
4. *Robinson Crusoé*
5. *La petite princesse*
6. *Le dernier des Mohicans*
7. *L'île au trésor*
8. *Cosette*
9. *Le tour du monde en 80 jours*
10. *Les petites filles modèles*
11. *Les malheurs de Sophie*
12. *Les quatre filles du Dr. March*
13. *Robin des bois*
14. *Moby Dick*
15. *20.000 lieues sous les mers*
16. *Le Corsaire Rouge*
17. *Le Capitaine Fracasse*
18. *La jeunesse de Heidi*
19. *La flèche noire*
20. *Le petit Lord*
21. *Un bon petit diable*
22. *La petite Fadette*
23. *Les lettres de mon moulin*
24. *Cinq semaines en ballon*
25. *Don Quichotte*
26. *Oliver Twist*
27. *Fantine*
28. *Les trois mousquetaires*
29. *La tulipe noire*
30. *Ivanhoé*
31. *L'appel de la forêt*
32. *Jane Eyre*
33. *Les deux nigauds*
34. *La mare au diable*
35. *Heidi, jeune fille*
36. *Les patins d'argent*
37. *Kazan*
38. *David Copperfield*
39. *La sœur de Gribouille*
40. *Heidi, maman*
41. *Le bossu*
42. *La petite Dorrit*
43. *Le chevalier de Lagardère*
44. *Maroussia*
45. *Les mémoires d'un âne*
46. *Gavroche*
47. *Les cinq sous de Lavarède*
48. *L'auberge de l'ange gardien*
49. *Voyage au centre de la Terre*
50. *Notre-Dame de Paris*
51. *Le général Dourakine*
52. *Jean Valjean*
53. *Heidi, petite-fille de Heidi*
54. *Les vacances*
55. *Sissi*
56. *Les douze travaux d'Hercule*
57. *Le Comte de Monte-Cristo I*
58. *Le Comte de Monte-Cristo II*
59. *Tom Sawyer*
60. *Heidi et l'enfant sauvage*
61. *La légende de Mulan*
62. *La quête du Graal*
63. *François le bossu*
64. *Buffalo Bill*
65. *Sans famille I*
66. *Sans famille II*
67. *Le roman de la momie*
68. *Michel Strogoff I*
69. *Michel Strogoff II*
70. *Poil de Carotte*
71. *L'île mystérieuse*
72. *Pauvre Blaise*
73. *De la Terre à la Lune*
74. *Autour de la Lune*
75. *Frankenstein*
76. *Marie Castelain*
77. *Les yeux de Mara*
78. *La bête des sables*
79. *Le violon du diable*
80. *Le pentacle d'Anaël*
81. *Le voyage de fin d'année*

Le Cycle des Maléfices

LE PENTACLE D'ANAËL

Daniel Joris
Illustrations de Marcel Laverdet

Éditions Hemma

Pour Lila

« Les Hommes le nomment Diable, Démon,
Lucifer ou encore Satan.
Mais son vrai nom est Anaël et il est
bien pire encore qu'ils ne
l'imaginent. »

L'Almanach des Fées
de la Grande Reine Morrigan

Prologue

I

LE 5 JUILLET DE L'AN 1965

« L'esprit d'Anaël est plus noir que la nuit, plus noir que le vice, plus noir que les ténèbres. »

L'Almanach des Fées

Malcolm ne tient plus en place. Pour la dixième fois, il observe son reflet dans le miroir de la salle de bains. Machinalement, il recoiffe la longue mèche de cheveux auburn qui lui barre le front. Il a revêtu ses plus beaux vêtements, ceux que sa mère réserve d'ordinaire aux dimanches ou aux visites de la très guindée tante Élisabeth de Londres. Sa chemise, frappée à l'emblème du collège, est impeccable ; les plis de son pantalon de golf sont bien marqués, et ses chaussettes immaculées ne descendent pas sur ses mollets. Il est fin prêt pour son premier rendez-vous amoureux.

***

L'année scolaire, enfin écoulée, a été très pénible pour le garçon. Dès le premier jour, il remarque cette nouvelle élève de la classe des filles, une jolie créature aux tresses rousses et aux étonnants yeux vairons. Il tombe amoureux d'elle la minute d'après.

Un an plus tôt, le soir de son onzième anniversaire, il prétendait encore que les filles étaient toutes des poisons, comme sa petite sœur, l'espiègle Audrina. Devant Tamara, il succombe au premier sourire. Hébété, il reste un long moment dans le couloir, perdu dans ses pensées, jusqu'à ce que sir Charles, le professeur de littérature anglaise, lui intime pour la troisième fois l'ordre d'entrer en classe.

Originaire de la lointaine Irlande, comme le trahit son accent un peu rustique, Tamara vient de rejoindre son père, qui a décroché un nouvel emploi au siège central d'une banque réputée de la City. La famille s'est installée dans la campagne au nord-ouest de Londres, à deux miles à peine de la maison de Malcolm.

***

Jour après jour, le garçon sent monter en lui une bien curieuse fièvre. Ses jours et ses nuits sont hantés par l'image de la jeune fille. Maladroit et désemparé, il ne sait comment l'aborder. Après plusieurs semaines de réflexion, il ose enfin lui adresser la parole après le dernier cours du vendredi :

– Tamara, bredouille-t-il en rougissant, je connais la campagne comme ma poche. Tu aimerais m'accompagner demain pour visiter les environs ?

La jolie Irlandaise se contente de hausser les épaules et de répondre sèchement :

– La campagne de mon pays est mille fois plus belle qu'ici et papa pense qu'il va pleuvoir demain.

Le garçon a l'impression que le monde s'écroule. Tamara monte prestement dans la Vauxhall blanche que conduit sa mère ; la voiture démarre et n'est bientôt plus qu'un point à l'horizon.

Malcolm passe le samedi au lit, rongé par une fièvre bien réelle cette fois. Il est fou de rage et de désespoir ; dehors, un chaud soleil éclaire la campagne...

***

Un Anglais, dont le père a héroïquement servi la mère patrie durant la guerre, sait maîtriser ses sentiments. Le cœur gros, mais le regard fier,

Malcolm poursuit son année scolaire sans plus jamais adresser la parole à cette Irlandaise prétentieuse. Après un dernier examen réussi de haute lutte, il salue ses condisciples et se prépare à goûter quelques semaines de vacances bien méritées...

***

Quelques jours plus tard, alors que Malcolm est occupé à bricoler un modèle réduit de bombardier, le facteur sonne à la porte. Il tient un pli spécialement destiné au garçon ; celui-ci déchire fébrilement l'enveloppe :

Cher Malcolm,

T'ai-je vexé à ce point ? Ou cherches-tu à me prouver qu'un Anglais peut être plus têtu qu'un Irlandais ?

Faisons la paix, je t'en prie ! Viens me rejoindre demain à 14 heures près du cromlech. J'aimerais beaucoup que tu me fasses visiter la région.

Affectueusement.

Tam'

***

Le cromlech n'est qu'une grande pierre assez quelconque qui se dresse à la croisée de deux chemins de terre. Les anciens prétendent qu'elle a été placée à cet endroit par les druides pour protéger les récoltes contre les mauvais esprits.

Malcolm n'a que faire des druides et des mauvais esprits. Il sera bientôt quatorze heures et la campagne reste déserte. Les filles sont toujours un peu en retard...

***

Enfin, la voici. Malcolm se lève, rectifie sa tenue, passe nerveusement la main dans ses cheveux.

– Oh non ! grogne-t-il.

Ce n'est pas la petite Irlandaise rousse, mais une grande femme aux cheveux noirs, très belle, qui s'avance vers le menhir.

– Je suis un peu en retard, Malcolm ! reconnaît-elle en s'adossant à la pierre.

Un large sourire dévoile ses dents blanches et régulières.

– Ce n'est pas vous que j'attends ! répond Malcolm, soudain mal à l'aise.

La femme rit doucement :

– Les enfants que je rencontre me disent toujours la même chose !

Elle a un curieux accent et des manières un peu empruntées et désuètes, comme tante Élisabeth.

– C’est un bien bel endroit, ici. Quel dommage que cette petite peste de Tamara soit si orgueilleuse, poursuit-elle en contemplant distraitement l’horizon. Elle ne sait pas ce qu’elle rate en te posant un lapin...

– Tamara n’est pas une petite peste ! se révolte Malcolm.

La femme le regarde sans mot dire ; son sourire carnassier a quelque chose d’inhumain.

Le garçon considère que l’entretien prend une vilaine tournure. Une peur enfantine lui tenaille brutalement le ventre. Il salue la dame, poliment mais sèchement, et reprend la route vers la maison.

***

– Heureuse de rentrer au pays ?

– Je suis folle de joie, papa ! répond la jeune fille, accoudée au bastingage du ferry. En apercevant, après un long voyage, les côtes d’Irlande qui se dessinent à l’horizon, Tamara sent son cœur battre de bonheur...

***

Après quelques pas seulement, Malcolm éprouve une curieuse sensation ; il n’ose pas se retourner ; pourtant, il devine que la femme doit le suivre comme son ombre. Il presse le pas, puis se met à courir, horrifié. N’y tenant plus, il tourne la tête. La dernière image qu’il perçoit avant de sombrer dans le néant est le feu du soleil qui se reflète sur la lame brillante d'un long poignard...

***

En rentrant du travail à dix-sept heures précises, le premier geste de Trevor, le père de Malcolm, est d'allumer la radio pour écouter les informations. Il n'a pas son pareil pour deviner à l'intonation du speaker si les nouvelles seront bonnes ou mauvaises. Aujourd'hui, elles seront mauvaises...

« Un terrible accident d'avion vient d'avoir lieu au nord-ouest de Londres. Sans raison apparente, le quadrimoteur d'une compagnie aérienne privée a brutalement perdu de l'altitude avant de s'écraser dans la campagne. À l'heure actuelle, nous ne disposons pas d'informations précises, mais, au dire des premiers sauveteurs arrivés sur les lieux, il faudrait un miracle pour retrouver des survivants parmi les cent soixante passagers et membres d'équipage. Politique, maintenant : le Parlement s'est réuni cet après-midi pour... »

Trevor coupe la radio ; il est sincèrement navré. Ancien pilote de bombardier, plusieurs fois récompensé pour sa bravoure, il partage viscéralement les joies et les douleurs de tous ceux qui pilotent...

Un pli songeur lui marque le front alors qu'il

se dirige vers l'atelier où son fils doit être en train d'assembler ses modèles réduits. Malcolm est un bricoleur génial ; sa passion pour les avions est source d'émotion pour son père qui rêve de le voir un jour rejoindre les Cadets de l'air.

II

LE 5 MAI DE L'AN 1990

Extrait du *Journal du Matin*

Noyade d'une fillette

Hier, en fin d'après-midi, une tragédie est survenue sur le pont de l'Espérance. La petite Marine B., âgée de six ans, est tombée dans le fleuve et s'est noyée. Selon les rares témoins, l'enfant a escaladé le garde-fou et a glissé. Une passante, qui n'a pas été identifiée, a tout fait pour retenir la fillette mais n'a pu éviter le drame...

III

LE 4 MAI DE L'AN 1991

Extrait du *Journal du Matin*

Chute mortelle

Une chute mortelle s'est produite le 3 mai en fin de journée. Peu avant dix-huit heures, des voisins ont vu Kevin G., 9 ans, occupé à jouer avec un cerf-volant dans le jardin. Quelques minutes plus tard, l'enfant tombait du toit de la maison de ses parents; il tentait de récupérer le cerf-volant qui s'était accroché à la corniche. Selon les dires d'un certain Maximilien L., Kevin n'était pas seul sur le toit. Mais ce témoin, un sans-logis alcoolique, bien connu des services de police, n'est guère crédible...

Chapitre I

LE 1er MAI DE L'AN 1992

« Il fut un temps jadis où les hommes ne craignaient pas le Merveilleux. »

L'Almanach des Fées

Sur son vélo de course vert fluo, Sébastien dispute une course imaginaire ; il file à toute allure dans les rues de la banlieue grise où il est né et a grandi. Habile et rapide, il évite les voitures, les passants et les autobus qui circulent en tout sens. Dans son esprit, les maisons tristes et les usines désaffectées se muent en un décor de rêve aux frontières duquel des milliers de supporters l'encouragent en scandant son nom.

Sébastien a treize ans aujourd'hui. Il a hâte

de rallier la plaine de jeux, le seul endroit où les enfants de la banlieue peuvent se réfugier pour jouer et oublier le monde qui les entoure, sale et empuanti par les fumées industrielles. Ses amis l'y attendent pour fêter dignement son anniversaire. Ils forment une petite bande, les Chicago Bulls, du nom de leur équipe de basket américaine préférée. Il y a le gros Norbert, surnommé Bouddha, Martin et Nicolas, les jumeaux, et Frédéric. Il y a aussi – et surtout – la petite Pia, une jeune Italienne au visage doux et aux cheveux noirs coupés au carré, qui s'est jointe à eux depuis quelque temps. Les cinq garçons en sont tous un peu amoureux, mais Sébastien est persuadé que c'est lui qui attire les regards les plus doux de la jeune fille...

Il sourit, évite la portière d'une voiture rouge qui s'ouvre sans crier gare, et relance la mécanique en se mettant en danseuse pour attaquer une côte avec entrain. Sébastien n'a qu'un espoir : devenir coureur cycliste et rejoindre Eddy Merckx dans la légende. Eddy Merckx était aussi le héros de son père, disparu dans un accident de travail quand le garçon avait neuf ans. D'un geste précis, Sébastien change de braquet ; la chaîne, parfaitement huilée, obéit sans rechigner. Au sommet de cette rue pentue, Sébastien va plonger dans la descente qui le conduira à destination...

***

Dans son camion, un grand M.A.N. blanc frappé du sigle d'une entreprise de construction, Pino s'énerve. Sa cassette préférée, une compilation de rock'n roll, vient de s'arrêter net. La bande magnétique est bloquée dans le mécanisme de l'installation hi-fi. Pino déteste travailler sans musique. Alors que le M.A.N. dépasse la plaine de jeux, son chauffeur s'acharne en grognant à éjecter la cassette récalcitrante.

Durant quelques instants, Pino ne surveille plus la route. Quand il relève la tête, il prend simultanément conscience de deux choses : son camion roule beaucoup trop vite et une vieille dame au dos courbé vient de quitter le trottoir pour traverser la rue à petits pas. Il écrase la pédale de frein et braque instinctivement vers la gauche en poussant un effroyable juron...

***

Le nez sur le guidon, le torse collé sur le cadre de son vélo, Sébastien est grisé par la vitesse ; il sent le vent qui fouette son visage et fait frémir sa veste de training. Perdu dans ses rêves de victoire, il ne voit pas que le camion blanc qui vient en sens inverse fait un terrible écart. Sans raison. Il n'a pas le temps de réagir ; la large calandre du M. A. N. se précipite à sa rencontre pour le happer...

Chapitre II

LE 4 MAI DE L'AN 1992

« Il appartient à chacune d'entre nous de soulager la douleur de ceux qui souffrent, même s'ils ne croient pas en nous. »

L'Almanach des Fées

Tout est blanc. Blanc comme neige. Et tellement lumineux ; Sébastien cligne des yeux. Après quelques minutes, il aperçoit enfin des formes aux contours imprécis qui l'observent silencieusement.

Il tourne lentement la tête ; les images se précisent et les visages se dessinent peu à peu.

– Maman ! murmure-t-il avec inquiétude, frappé par la détresse qu'il lit dans le regard de la grande femme maigre qui se penche sur lui. La même détresse que le jour de l'enterrement de papa...

– Que se passe-t-il, maman ? insiste le garçon. Des sanglots attirent son attention. Près de la fenêtre, un petit bouquet de fleurs rouges à la main, Pia pleure sans retenue. De grosses larmes coulent sur ses joues. Bouddha tente maladroitement de la consoler ; Martin et Nicolas observent silencieusement le bout de leurs chaussures ; Frédéric, un sourire crispé aux lèvres, triture nerveusement les pans de son t-shirt Michael Jordan.

– Parlez-moi ! s'énerve Sébastien. Dites-moi quelque chose ! Il tente de se redresser ; une douleur atroce lui coupe le souffle et il retombe, hébété, sur son lit.

– C'est moi qui vais te parler, fiston ! dit une voix forte mais calme. Un homme chauve et portant lunettes à fines montures s'approche du lit. Il porte une tunique verte de médecin sur laquelle est imprimé son nom en lettres bleues : B. Kellinckx.

– Tu es à l'hôpital, fiston. Je m'appelle Bernard et je suis chirurgien. C'est moi qui t'ai opéré après ton accident...

– Quel accident ? gémit Sébastien, tandis que Pia pleure de plus belle, imitée cette fois par les jumeaux.

– Tu as été renversé par un camion, fiston...

Sébastien se souvient soudain de cette gueule de cauchemar, monstrueuse et ricanante, qui se jette sur lui.

–... et tu peux considérer que tu as de la chance d'être encore en vie !

Le visage de Sébastien s'éclaire enfin :

– J'ai toujours eu de la chance, pas vrai, les gars ? ajoute-t-il a l'intention des Chicago Bulls.

Personne ne dit mot ; le chirurgien enlève puis remet ses lunettes en se raclant la gorge.

– Hum, fiston... dit-il enfin. Il va te falloir beaucoup de courage...

– J'en ai à revendre, dit crânement Sébastien. Quand est-ce que je sors d'ici ?

– Bientôt, très bientôt, mais...

– Mais quoi ?

– Tu resteras paraplégique. Hum, je n'ai rien pu faire...

– Para comment ? s'inquiète Sébastien d'une voix blanche.

– Paraplégique. Une de tes vertèbres s'est brisée lors du choc. Cela signifie que tu ne pourras plus jamais te servir de tes jambes ; tu es, hum, paralysé...

Marina, l'infirmière de garde qui circule dans le couloir à l'autre extrémité du service opératoire, n'a jamais entendu un pareil cri de détresse. Cela fait pourtant dix ans qu'elle travaille dans cet hôpital. Elle n'oubliera jamais ce

« Noooooooon ! » poussé par une voix d’enfant.

Chapitre III

LE 1er MAI DE L'AN 1993

« Les hommes disent « hasard », « accident » ou « coïncidence ». En réalité, c'est le maléfice qui s'installe peu à peu... »

L'Almanach des Fées

Extrait du *Journal du Matin*

Électrocution

Patrick F., 12 ans, est décédé hier, électrocuté par sa console de jeux. C'est sa propre mère qui a découvert la tragédie. Inquiète de ne pas voir descendre son fils pour le déjeuner, elle est montée dans sa chambre. Il n'existe pas de mots pour décrire ce qu'une mère peut ressentir en pareilles circonstances. Madame F., sous le choc, a été transférée à la clinique Notre-Dame. Le parquet a saisi la console de jeux aux fins d'expertise. Le commissaire Debrus, appelé sur les lieux, conseille vivement à tous les parents de vérifier la sécurité électrique du matériel utilisé par des enfants. La société qui commercialise la console nous a fait savoir qu'elle ne pouvait pour l'heure se prononcer sur les causes de l'accident...

Chapitre IV

LE 11 JUIN DE L'AN 1993

« Notre magie peut apaiser beaucoup de douleurs. Mais il n'y a rien à faire pour celui qui refuse de guérir. »

L'Almanach des Fées

– Seb chéri ? Norbert demande s'il peut te voir ce matin.

Le garçon observe sa mère d'un air bougon et hausse les épaules.

– Tu sais bien que je ne veux voir personne !

D'un geste brusque des deux mains, il agrippe les roues de sa lourde voiturette de handicapé et la propulse vers la fenêtre. Dissimulé derrière les tentures, il observe bientôt Bouddha, dépité, qui remonte sur son V. T. T. et s'éloigne dans la rue.

Sept mois se sont écoulés depuis que Sébastien a quitté l'hôpital. C'est peut-être la centième fois qu'un des membres des Chicago Bulls vient sonner à sa porte. Mais Sébastien ne veut voir personne. Prétextant qu'une conversation lui cause d'insupportables migraines, il vit reclus dans sa chambre où seule sa mère a le droit d'entrer. Sa maman se montre une infirmière patiente et résignée. Elle pardonne à son fils ses incessants mouvements d'humeur et grimpe quatre à quatre les escaliers chaque fois qu'il l'appelle. Sébastien se contente de se déplacer de son lit jusqu'à la fenêtre et de la fenêtre jusqu'à son lit. Il n'a feuilleté aucun des livres que ses amis lui ont envoyés, n'a jamais allumé la radio stéréo qu'un oncle lui a offerte et refuse que sa mère lui achète une petite télévision. Il n'a même pas ouvert les lettres qui lui sont adressées chaque semaine. L'écriture sur les enveloppes est certainement celle de Pia, mais il se contente de les empiler en désordre sur une étagère. Il passe des heures entières à broyer du noir, en contemplant d'un air morne ses jambes devenues inutiles et insensibles.

– Tu dois sortir, Seb chéri ! lui répète régulièrement sa mère. Je pousserai ta voiture. Ce n'est pas bon de se couper du monde...

– Le monde n'a plus rien à faire de moi, répond

invariablement Sébastien.

Sa mère n'insiste pas ; un jour, peut-être, Sébastien changera d'avis. Oui, un jour peut-être...

Le temps passe lentement dans la chambre mal éclairée. La vie de Sébastien est rythmée par la grande horloge murale du living, dont le carillon se fait entendre, heure après heure, dans toute la maison. Sébastien est tellement habitué qu'il peut deviner à quelques secondes près quand l'horloge va sonner...

***

À la matinée succède l'après-midi. Depuis sa fenêtre, Sébastien observe les allées et venues des voitures et des passants. Au loin, par-delà les toits, tous identiques, s'élèvent les fumées des usines; elles dansent au gré du vent, tourbillonnent, se marient et se séparent, dessinant des formes curieuses, parfois jolies, parfois menaçantes.

Soudain, Sébastien reconnaît une silhouette familière sur le trottoir. C'est Pia, et elle n'est pas seule. Un garçon l'accompagne. Il est grand, bien bâti, et porte une superbe veste de cuir. Le cœur de Sébastien fait un bond dans sa poitrine. En passant à la hauteur de la maison, Pia tourne la tête vers la fenêtre de sa chambre. Son visage n'a pas changé, mais ses cheveux ont poussé et sont réunis en un amusant petit chignon maintenu par un bandeau coloré. Sébastien recule instinctivement pour ne pas être vu... Ses mains tremblent ; il ne prête aucune attention aux coups que sonne l'horloge...

Une éternité plus tard, lorsque son cœur a repris un rythme plus régulier, Sébastien appelle sa maman.

– Demain, c'est samedi, n'est-ce pas ?

– Oui, mon chéri, et c'est le jour où je pars faire le ménage chez le notaire.

– Bien, bien, répond Sébastien en tapotant distraitement les roues de sa chaise. Pourrais-tu me descendre dans le living demain matin ? J'aimerais regarder une émission à la télévision pendant ton absence...

Un sourire radieux éclaire le visage de sa mère.

– Bien sûr, chéri. Tu ne peux pas savoir comme je suis heureuse que tu t'intéresses à quelque chose.

– Je suis heureux aussi, répond Sébastien.

Mais son regard sombre trahit ses paroles...

Chapitre V

LE 12 JUIN DE L'AN 1993

« L'amour est la plus grande force qui soit. Celui qui bâtira une Forteresse d'Amour pour y réunir les siens restera insensible à tous les maléfices. »

L'Almanach des Fées

Sa maman est à peine partie chez le notaire que Sébastien éteint le téléviseur. Manœuvrant maladroitement sa chaise, il quitte le living et se faufile dans le couloir. Il tend la main et s'empare de sa veste préférée, accrochée à une patère. Au prix de quelques pénibles contorsions, il parvient à enfiler le vêtement. Il est déjà essoufflé par l'effort ; à l'hôpital, il a suivi une longue rééducation pour fortifier ses bras et lui permettre de retrouver un semblant d'autonomie.

Malheureusement, il n'a jamais pris la peine de poursuivre ses exercices depuis qu'il est rentré à la maison.

Il ouvre la porte et est assailli par les bruits et les odeurs du monde extérieur. Une foule de souvenirs lui reviennent à la mémoire. Malgré la pollution, l'air de la rue lui semble enivrant. Il ressent presque la même impression que le jour de grand vent où son père l'avait emmené pour la première fois à la mer...

Le seuil a été remplacé par un petit plan incliné. Sébastien se souvient que le travail a été exécuté par les ouvriers communaux peu de temps après sa sortie de l'hôpital. Avec mille précautions, il avance sa chaise et se laisse timidement glisser sur le trottoir.

– En route pour la plaine de jeux ! murmure-t-il pour se donner du courage. Les participants aux deux mille cinq cents mètres pour paraplégiques sont appelés sur la ligne de départ ! Messieurs ! Prêts ? Partez !

Les premières dizaines de mètres sont menées tambour battant ; la banlieue est plutôt calme ce samedi matin ; le trottoir n'est guère encombré. Grisé par une étrange sensation de liberté, Sébastien conduit sa chaise sans ménager ses efforts. Il était un cycliste habile ; les vieux réflexes ne se perdent pas et il maîtrise rapidement la conduite de son nouvel engin. Avec une relative aisance, il efface les embûches : réverbères, parcmètres, seuils et étalages. Il lui est par contre beaucoup plus difficile d'éviter le regard apitoyé des gens qu'il croise. Il perçoit des bribes de phrases qu'il feint de ne pas entendre : « Quel malheur », « Si jeune », « Pauvre garçon ». Il doit même subir les railleries d'un ivrogne matinal : « Tu te prends pour Ayrton Senna avec ta Formule 1 ? »...

Le calvaire commence vraiment lorsqu'il entame la côte. La paume de ses mains est brûlante; ses muscles sont tétanisés par l'effort. Sébastien a l'impression qu'un bourreau lui torture bras et épaules à l'aide d'un fer chauffé au rouge.

Mais il s'acharne et, mètre après mètre, parvient à se hisser jusqu'au sommet de la rue. Il reprend son souffle, masse ses mains meurtries et essuie d'un revers de manche les gouttes de transpiration qui ruissellent de son front.

– Et maintenant, Eddy-Paralytique-Merckx va se payer une descente d'enfer !

Quelques instants plus tard, Sébastien passe à l'endroit précis où un camion blanc a brisé ses rêves d'enfant. Il ne peut retenir une larme de rage et d'impuissance avant d'accélérer sa course.

***

– Tu es le paralytique le plus nul de la planète ! s'emporte le garçon, fou de rage...

Comment a-t-il pu oublier ces quatre hautes marches qu'il faut descendre pour accéder à la plaine de jeux ? L'obstacle est infranchissable et il n'y a bien entendu personne en vue pour l'aider. Il devine bien des cris et des rires d'enfants, mais ils sont masqués par le rideau de peupliers d'Italie qui entoure le terrain de football.

Un bruit de pas lui fait tourner la tête. Il reste bouche bée ; la jeune femme en tenue de jogging qui s'approche est proprement merveilleuse. De longs cheveux, d'une blondeur presque irréelle, encadrent un visage aux traits délicats et enjoués. Athlétique et légère, elle trottine avec souplesse et élégance ; ses pieds semblent à peine effleurer le sol à chaque foulée.

« Punaise ! » pense Sébastien. « Si Bouddha la croise, il va me faire trois pirouettes et un infar'... ».

Boudha prétend depuis toujours qu'il n'épousera qu'une femme blonde plus belle que Marylin Monroe...

– Pardon, m'dame, s'écrie Sébastien, subjugué. Vous pourriez m'aider, s'il vous plaît ?

Elle s'arrête, un large sourire aux lèvres, et ôte délicatement le casque de son walkman. Un maquillage très léger souligne le vert de ses yeux.

– T'aider ?

Sa voix est plus douce encore que ses traits.

Elle a un curieux accent, un peu traînant, mais terriblement chaleureux.

– Oui, m'aider à descendre ces marches, insiste Sébastien en lui rendant son sourire. La jeune femme réfléchit un court instant, en ébouriffant ses cheveux.

– Non, finit-elle par dire. Débrouille-toi tout seul !

Sous le regard médusé du garçon, elle exécute un semblant de révérence, franchit d'un bond l'escalier et disparaît derrière les peupliers.

Sébastien lance un de ces jurons qui font rougir sa mère. Furieux, il s'élance sans réfléchir : emporté par sa fougue, il dévale cahin-caha les quatre marches. La chaise rebondit d'une roue sur l'autre, menace de verser, puis, après un dernier zigzag vertigineux, s'immobilise dans le gazon.

Sébastien, qui ne se souvient pas d'avoir jamais été secoué de la sorte, reprend doucement ses esprits.

La jeune femme l'observe, assise sur un banc public, quelques mètres plus loin, dans l'ombre d'un arbre. Elle est secouée par un fou rire.

– Vous trouvez ça drôle ? hurle-t-il furieusement en s'approchant d'elle.

– Toi, pas ? répond-elle. Tu aurais dû voir ta tête...

– Vous pourriez avoir, euh...

– Pitié ? C'est cela que tu veux dire ?

Sa voix est plus dure et ses yeux se font sévères.

– Non, poursuit-elle, je ne te rendrai pas ce service ! Si tu veux devenir un homme, tu dois faire envie et non pitié. Tiens, je parie que tu n'es pas capable de me rattraper !

Elle se lève d'un bond et se met à courir.

Enragé, Sébastien s'arc-boute sur sa chaise et se lance à sa poursuite. Leur course les mène rapidement sur la piste en cendrée qui ceinture le terrain de football.

***

Bouddha, un peu à l'étroit dans son équipement de gardien de but, connaît bien la bonne vieille tactique des jumeaux. Martin, balle au pied, file le long de la ligne de touche pour attirer Frédéric, qui joue les défenseurs, jusqu'au poteau de corner. Il dribble sèchement son adversaire et centre au point de penalty, où son frère Nicolas peut exécuter une reprise de volée meurtrière.

Bouddha, une main en visière pour protéger ses yeux du soleil, surveille attentivement Nicolas et se déplace en sautillant sur sa ligne de but pour réduire l'angle de tir du centre-avant. Malgré son obésité, Norbert est capable d'effectuer des plongeons surprenants pour défendre son domaine.

Comme prévu, Martin mystifie Frédéric et centre en force, à mi-hauteur...

Bouddha est soudain distrait par un spectacle insolite. À l'autre bout du terrain, une merveilleuse créature blonde fait la course avec un infirme en chaise roulante...

– Mais c'est... Mais c'est... balbutie le gros garçon.

Il n'a pas le loisir d'en dire plus ; Nicolas exécute une reprise acrobatique, toute en puissance. Le ballon, un vrai boulet de canon, heurte le ventre mou du gardien de but qui tombe sur le derrière, les yeux exorbités et le souffle coupé... Les jumeaux, hilares, se précipitent pour relever leur malheureux adversaire...

– Les gars, les gars, ahane Bouddha... Là, c'est Sébastien ! Il est revenu...

***

Moulinant des deux bras, Sébastien puise dans ses ultimes réserves pour se rapprocher de la jeune femme qui court devant lui. Il n'a plus conscience que de la piste rouge qui défile à une vitesse vertigineuse sous les roues de sa chaise.

Vite, encore plus vite ! Une foule imaginaire scande à nouveau son nom, comme à la belle époque de ses courses à vélo dans les rues de la banlieue. Trois mètres, deux mètres, un seul... et c'est l'accrochage ! La chaise heurte les jambes de la jeune femme qui exécute une curieuse cabriole avant de s'étaler sur la cendrée.

– Oh, s'écrie Sébastien, confus. Je suis vraiment désolé...

– Et moi, je suis Colleen, lui répond la jeune femme en époussetant ses vêtements.

– Colline ? reprend le garçon en riant.

– CollEEEEn. Tu prononces l'anglais comme tu descends les escaliers, Sébastien.

– Comment connaissez-vous mon nom ?

– Comme ça !

Les yeux de Colleen pétillent malicieusement.

– Tu es un chouette gars, Sébastien. On se reverra ! Mais, pour l'instant, je te laisse à tes amis...

Sébastien se retourne ; les Chicago Bulls arrivent à toutes jambes. Une émotion inouïe l'envahit et il hurle de bonheur.

– Les mecs, foncez que je vous présente Colleen et...

Mais la jeune femme a disparu...

Chapitre VI

LE 18 JUIN DE L'AN 1993

« Il faut de l'astuce pour déceler la présence d'Anaël. Et beaucoup de courage pour le défier. »

L'Almanach des Fées

Dans son studio, au dernier étage d'un immeuble entouré d'un grand parc, Colleen se livre à un étrange rituel. Vêtue d'une longue robe pourpre, ornée de broderies complexes, elle est assise en tailleur, au beau milieu de la pièce, les mains jointes au-dessus de la tête. À ses côtés, dans sept petits creusets de bronze, brûlent des bâtons d'encens aux parfums exotiques et contrastés.

Il fait nuit ; seule la pleine lune, parfaitement visible par la fenêtre, nimbe la pièce d'une lumière blanchâtre. À même le sol, devant la jeune femme,

figurent quelques objets disposés en désordre : des coupures de journaux, un grand morceau de tissu chamarré en forme de cerf-volant, le boîtier de commande d'une console de jeux électronique, un mocassin de fillette et un guidon de vélo tordu.

La jeune femme dodeline de la tête ; ses cheveux blonds dansent dans la pénombre. Elle entonne à voix basse un chant lancinant et répétitif ; la fumée de l'encens s'épaissit...

En réponse à son chant, une curieuse mélodie envahit la pièce, comme si les murs eux-mêmes se mettaient à fredonner. L'un après l'autre, les objets frissonnent ; l'épave du cerf-volant s'élève lentement ; le mocassin bleu se déplace de quelques centimètres ; le guidon vert fluo tressaute en émettant un vilain bruit de ferraille tordue.

Le visage crispé par la concentration, Colleen garde les yeux mi-clos ; une vilaine moue déforme ses lèvres :

– Morganon, ma Reine et ma Mère, tu avais raison, comme toujours... Elle est ici et Elle prépare la venue d'Anaël. Maudit soit son nom !

Une voix de femme âgée se fait entendre dans la pièce. Colleen l'écoute respectueusement en hochant quelquefois la tête. La voix se tait.

– Merci, ma Mère, déclare la jeune femme.

Son visage est plus détendu ; elle se lève et fait la lumière dans le studio :

– Au travail ! Sébastien, tu as eu la chance d'avoir la vie sauve. J'espère que tu accepteras de me venir en aide. Et que tu seras courageux...

À l'horizon, un éclair, un seul, déchire le ciel. Il n'est suivi d'aucun grondement de tonnerre. En ouvrant la fenêtre dans un geste de défi, la jeune femme sourit :

– Chien qui aboie ne mord pas, Anaël ! Du moins pas pour le moment...

***

La lumière éblouissante de l'éclair illumine la chambre de Sébastien. Il sursaute, gémit et ouvre les yeux. Une vilaine sueur froide le fait grelotter.

À tâtons, il allume sa lampe de chevet. Sur son édredon sont encore éparpillées les lettres de Pia ; il les a enfin lues et relues avant de s'endormir. Il éteint et retrouve aussitôt le sommeil...

Chapitre VII

LE 19 JUIN DE L'AN 1993

« Lorsque deux destins doivent se croiser, rien ne peut les retenir. »

L'Almanach des Fées

– Hier, j'ai enfin lu toutes tes lettres ! articule péniblement Sébastien.

Sous l'effet de la surprise, Pia reste bouche bée. Elle était occupée à aider sa mère dans la cuisine lorsque la sonnette de la porte d'entrée s'est fait entendre. Elle s'est précipitée pour ouvrir et a découvert Sébastien, escorté par les Chicago Bulls. Les bras ballants, la jeune fille ne sait que dire.

– Bon, on vous laisse, s'écrie Norbert. Vous devez avoir plein de trucs à vous raconter !

Il tapote amicalement l'épaule de Sébastien,

lui chuchote « Bonne chance, mec ! » et, aussitôt imité par Martin, Frédéric et Nicolas, s'éloigne d'un pas rapide.

– J'ai vraiment lu toutes tes lettres ! répète Sébastien.

Il sait que son sourire emprunté doit paraître niais à Pia ; il sait qu'il devrait tendre la main pour lui présenter le bouquet de violettes qu'il tient serré sur ses genoux. Mais il ne peut que répéter une fois encore qu'il a bien lu ses lettres...

– Tu veux entrer ? dit enfin la jeune fille d'une voix brisée par l'émotion.

***

– Elles sont très jolies, dit Pia en disposant les fleurs dans un petit vase en cristal.

Sébastien se racle la gorge pour la dixième fois en cinq minutes :

– Je suis content qu'elles te plaisent... Et je suis désolé de t'avoir évitée pendant tout ce temps.

– Je peux te comprendre, répond la jeune fille. Mais cela m'a fait beaucoup de peine. J'aurais bien aimé pouvoir t'aider.

Elle s'assied dans un petit fauteuil aux motifs fleuris, tout près de la chaise du garçon. Mal à l'aise, les joues empourprées par la gêne, Sébastien pose enfin la question qui lui brûle les lèvres. Il essaye de prendre un ton détaché, mais même à ses propres oreilles sa voix sonne faux :

– Qui était ce garçon qui t'accompagnait l'autre jour ?

– Quel autre jour ?

– Quand tu es passée devant chez moi...

Un sourire éclaire le visage de Pia. Elle observe le garçon avec un air mutin.

– La jalousie est un vilain défaut, dit-elle en imitant la voix cassée de sa grand-mère.

Sébastien lui sourit à son tour et se défend maladroitement :

– Je ne suis pas jaloux ! Je m'informe.

– Monsieur s'informe. C'est différent. Eh bien, ce garçon aimable, qui n'attend jamais des mois avant de lire mes lettres, est mon cousin Giovanni. Il habite Milan et est venu passer quelques jours à la maison. Il a repris le train pour rentrer au pays hier matin...

Sébastien renverse la tête en arrière et pousse un énorme soupir. Pia, secouée par un fou rire, lui prend gentiment les mains.

– Heureuse de voir que Monsieur est de meilleure humeur quand Monsieur est informé... Puis-je proposer à Monsieur d'aller manger une glace chez Magdalena ?

***

– Tu as encore de la crème fraîche sur le bout

du nez ! dit Pia en riant.

Elle pousse la chaise de main de maître sur les trottoirs de la banlieue. Sébastien se laisse conduire, merveilleusement heureux. Il ne dit rien; il savoure simplement l'instant. Magdalena leur a servi une énorme coupe de sa délicieuse crème vanille, parfumée par un coulis de framboises dont elle détient jalousement le secret. Les deux enfants ont silencieusement savouré leur glace, les yeux dans les yeux. Après la plaine de jeux, le salon de dégustation, à l'entrée du centre commercial, est l'endroit favori des Chicago Bulls. C'est là que Bouddha peaufine d'ordinaire son tour de taille en avalant des quantités astronomiques de pistache et de chocolat, un mélange qui fait grimacer ses compagnons.

Les pas de Pia les conduisent auprès du terrain de football, dans l'ombre des peupliers. À grands renforts de cris désespérés et de gestes hystériques, Bouddha explique une fois encore les rudiments de tactique défensive à Frédéric. Quelques mètres plus loin, les jumeaux jonglent ironiquement avec le ballon en attendant que le jeu reprenne...

– Ils sont comiques ; je les aime bien, commente Pia, assise sur un banc.

– C'est sérieux, tout ce que tu m'as écrit ? demande soudain Sébastien d'une voix blanche.

– Bien sûr, répond la jeune fille.

Le vent s'est levé et fait danser ses cheveux noirs.

– Je ne comprends pas, insiste nerveusement le garçon. Pourquoi sacrifier ta vie pour un infirme alors qu'il y a tant de garçons qui marchent?

– Sébastien, tu sais que ma famille vient du Piémont. Ma grand-mère, la Nona, est née là-bas. Depuis que je suis toute petite, elle me raconte souvent la même légende. Elle me dit : « Ma Pia, il viendra un jour où tu croiseras un garçon pas comme les autres. Et celui-là, tu l'aimeras et tu l'épouseras ! » Moi, je lui réponds : « Et comment pourrais-je savoir que c'est lui ? » La Nona prend un air mystérieux et parle plus bas : « Ma Pia, ce garçon, la première fois que tu le verras, il y aura de la lumière dorée autour de sa tête, comme le bon Dieu sur les images dans l'église de mon village. »

Sébastien reste interloqué :

– Et moi...

– Oui, toi ! Quand je t'ai rencontré ici, parmi les autres garçons, tu avais de la lumière dorée autour de la tête.

Sébastien passe instinctivement la main dans ses cheveux et regarde, rêveur, sa paume...

– Alors, poursuit Pia, j'ai filé à la maison et j'ai tout dit à la Nona. Elle a réfléchi et a posé ses mains toutes ridées sur mes joues. Puis, elle a dit : « C'est bien lui, ma Pia ! » C'est aussi simple que ça...

Elle s'approche du garçon et l'embrasse doucement.

Dégagé par un Bouddha fou furieux, le ballon atterrit près des jeunes gens tendrement enlacés. Martin et Nicolas, hors d'haleine, arrivent en courant et adoptent une pose identique, comme de coutume...

– Salut, les amoureux ! s'écrient-ils en chœur. Bouddha et Frédéric les rejoignent en s'injuriant :

– Je t'ai dit mille fois de tenir ton homme à la culotte. Tu es le pire défenseur que j'aie jamais rencontré... Si tu veux devenir un vrai joueur, tu aurais intérêt à écouter mes conseils. Sinon, je te vire de mon équipe...

Frédéric a beau protester de sa bonne volonté, Bouddha ne décolère pas. Soudain, interloqué, il arrête d'invectiver son camarade :

– Sébastien, Pia ! Qu'est-ce que vous avez dans les cheveux ? On dirait qu'ils brillent.

– Un reflet du soleil, peut-être... diagnostiquent prudemment les jumeaux.

– Non, dit le jeune infirme, rayonnant de bonheur. Un sortilège de la Nona !

Chapitre VIII

LE 22 JUIN DE L'AN 1993

« Une Fée ne devrait jamais lier son cœur à celui d'un humain. Bien sûr, il peut arriver que les circonstances l'exigent... »

L'Almanach des Fées

D'un geste gourmand, Sébastien achève de dévorer une énorme portion de céréales. À l'aide d'une cuillère à café et d'un couteau, il improvise un solo de batterie endiablé sur le bord de la table de cuisine. Depuis que Bouddha lui a prêté une cassette du dernier album de Guns'n'Roses, le garçon ne se sépare plus de sa radio stéréo. La voix d'Axel Rose et les solos de guitare dévastateurs de Slash font trembler alternativement les murs de la maison. Sa maman, qui avait souffert de voir son fils prostré et silencieux durant de longs mois, regrette aujourd'hui d'avoir égaré sa boîte de boules Quiès.

Théâtralement, Sébastien écrase sa cuillère sur la bouteille de lait qui vacille et enchaîne par un roulement très sec sur son assiette...

– Yeeaaah ! And now, Ladies and Gentlemen, Sébastien Rose ! hurle le garçon dans un micro imaginaire...

– Ton accent anglais s'améliore de jour en jour...

– Colleen ! Comment êtes-vous entrée ?

– Par la porte ; c'est le système le plus commode que je connaisse...

Vêtue d'un joli tailleur parme, la jeune femme est souriante et resplendissante de beauté. Elle pousse devant elle une chaise d'infirme vert fluo, de conception très particulière.

– Je t'ai apporté un petit cadeau...

– Qu'est-ce que c'est que ce truc ? s'inquiète Sébastien.

– Ce truc, comme tu dis, est le fauteuil qu'utilisent les gens comme toi pour jouer au basket-ball. Made in Californie ! C'est joli, superléger, rapide, pratique et presque incassable. Une vraie Formule 1 ! Quand ils verront cet engin, tes copains vont regretter d'être valides...

Éberlué, le garçon ne sait que dire. Il bredouille

un « Merci » à peine audible.

– Ça me fait plaisir de te l'offrir, dit Colleen en s'asseyant à la table. Et ce n'est pas tout : je t'ai inscrit chez les Rollers, le club de basket en chaise roulante qui joue dans la salle près de la plaine. Tu commences l'entraînement demain soir...

– Mais, je ne sais pas jouer... proteste le garçon.

La jeune femme le regarde droit dans les yeux :

– La semaine dernière, tu ne savais pas descendre les escaliers... Tout est question de volonté ; je suis sûre que tu peux devenir un excellent joueur en très peu de temps. Tu as perdu tes jambes dans l'accident ; mais, avec un peu de chance, tu n'as pas perdu ta rage de vaincre ! Et si tu l'as perdue, je te la replacerai de force dans la tête... C'est d'accord ?

Le garçon sourit à la jeune femme :

– Comment vous remercier ?

– En baissant le volume de ta radio...

Il s'exécute sans quitter la chaise des yeux. Inconsciemment, il se demande pourquoi et comment la jeune femme a choisi cette couleur qui lui rappelle son vélo de course.

– Raconte-moi ton accident, demande aussitôt Colleen.

Sébastien se renfrogne ; une ombre passe sur son visage :

– Je déteste parler de ça...

– Alors, je le ferai à ta place. C'était un grand camion noir qui crachait une abominable fumée à l'odeur de soufre. Au volant, il y avait un vilain diable ricanant qui portait des cornes immenses et qui hurlait : « Faites place à l'envoyé des Enfers ! »

Sébastien éclate de rire :

– Non, le camion était un M.A.N. blanc ; un chouette modèle tout neuf. Et le chauffeur est un petit homme aimable ; il est souvent venu me rendre visite à l'hôpital et, à chaque fois, il pleurait plus que moi. Pauvre Pino ! Il avait peur de perdre sa place...

– Au moment précis de l'accident, intervient Colleen, tu n'as rien remarqué de particulier?

– Non, j'ai relevé la tête et j'ai vu le camion qui fonçait sur moi...

– C'est vraiment tout ? Le camion n'a pas fait cet écart sans raison...

Songeur, Sébastien se gratte le crâne. Son visage s'éclaire :

– Je me souviens d'un détail. Juste avant le choc, j'ai aperçu sur la route une vieille dame, une très vieille dame au dos courbé. Elle regardait dans ma direction et...

Le visage du garçon devient livide ; Colleen se lève, terriblement attentive.

– Et ? chuchote-t-elle.

– Et elle riait. Elle riait !

***

Ce soir-là, la maman de Sébastien s’affaire à ranger la cuisine. Son fils est allé dormir très tôt ; il doit être en forme demain pour son premier entraînement de basket. Il est monté dans sa chambre, seul, à la force de ses bras, en s’appuyant sur la double rampe installée à son intention. Lorsqu’elle est allée pour le border, il dormait déjà d’un sommeil paisible. « Ce qui lui arrive est un vrai miracle », pense-t-elle. Brusquement, elle s’immobilise, interloquée. Sur l’appui de fenêtre, les petits cactus qu’elle collectionne et cultive avec attention depuis des années sont tous en fleurs. Elle n'a jamais vu un pareil phénomène se produire. « Un coup de baguette magique ? ». Elle rit tout bas de sa propre bêtise. Les fées n'existent pas...

Chapitre IX

LE 23 JUIN DE L'AN 1993

« Vaincre n'est jamais un miracle. Celui qui le veut le peut. La Fée n'intervient que pour susciter cette volonté. »

L'Almanach des Fées

Les premiers exercices d'échauffement sont exténuants ; en quelques tours de terrain menés à folle allure, Sébastien a rapidement maîtrisé les surprenantes évolutions de sa nouvelle chaise ; mais il manque de souffle et suit difficilement les autres infirmes qui tournent et virevoltent avec une aisance surprenante.

Il a été accueilli très amicalement par les Rollers ; dès que les garçons se sont retrouvés sur le terrain, les sourires et les réflexions aimables ont rapidement cédé la place à la concentration, à l'effort et aux ordres secs de Richard, l'entraîneur et le seul homme valide toléré dans l'équipe.

Au bord du terrain, serrés sur un banc, Colleen, Pia et les Chicago Bulls suivent avec attention le moindre mouvement de leur ami. Bouddha écarquille les yeux chaque fois qu'il regarde Colleen ; il n'a jamais vu pareille splendeur et ne céderait sa place à quiconque, même en échange de toute la glace pistache et chocolat de la planète.

Sébastien réceptionne un premier ballon qui lui est sèchement adressé par Marc, le capitaine de l'équipe. Le garçon grimace ; sous la violence du choc, ses pouces se sont presque retournés

et une pénible douleur lui déchire les mains. Serrant les dents, il s'élance à toute allure en direction de l'anneau, le ballon sur les genoux.

– Cède ta balle ! crie Richard.

Sébastien lâche les roues de sa chaise et reprend le ballon en main ; il a à peine le temps de le balancer au petit bonheur la chance qu'il heurte le mur du fond de la salle et vole cul par-dessus tête.

Pia quitte le banc ; elle ne fait qu'un pas ; Colleen la retient par la manche de son sweat-shirt :

– Laisse-le, Pia ! Il doit pouvoir se débrouiller seul !

Assis près de sa chaise renversée, Sébastien s'étonne de ne voir aucun de ses équipiers venir lui prêter main-forte. Seul l'entraîneur se tourne vers lui :

– Tu n'as que deux bras pour contrôler le ballon et ta chaise. Si tu ne sais pas coordonner tes mouvements, tu passeras toutes tes soirées par terre !

Fou furieux, Sébastien se redresse sur les avant-bras, parvient à relever sa chaise et se hisse à bord en pestant. Il ajuste les cale-pieds et rejoint les autres joueurs qui se sont alignés pour un exercice de tir à distance.

L'essai de Sébastien fait s'écrouler tout le monde de rire ; le ballon s'élève à peine et vient rebondir sur les panneaux publicitaires qui se trouvent derrière l'anneau.

– Va t'acheter des vitamines, gamin ! lance un joueur.

– Hé, coach ! dit un autre, tu nous as trouvé un fameux renfort.

– Oui, ajoute un troisième, au prochain match, ce serait chouette s'il jouait dans l'équipe adverse...

Pia ne tient plus en place :

– Ils se moquent de lui !

– Il va y arriver, répond calmement Colleen, sans quitter le garçon des yeux.

– Qu'est-ce que vous en savez ? s'emporte Pia en toisant la jeune femme.

– Je le sais, c'est tout.

– T'énerve pas, Pia ! intervient Bouddha sur un ton qu'il veut apaisant. Si Colleen le sait, c'est que c'est vrai. Hein, les gars ?

Les jumeaux hochent la tête de concert. La jeune Italienne croise nerveusement les bras et pousse un soupir furieux...

Sébastien se trouve de nouveau dans la raquette ; cette fois, avant de tirer, il jette un bref coup d'œil vers le banc et croise le regard vert de Colleen. « Tu dois dicter ta volonté au ballon, et non le contraire ! » Sous les quolibets, le ballon file cette fois en direction du panier ; il heurte l'anneau, semble hésiter un bref instant, puis glisse dans le filet. Sébastien lève un poing vengeur ; les Chicago Bulls applaudissent à tout rompre.

– Bien joué, gamin ! l'encourage Marc en lui adressant un clin d'œil complice.

Chapitre X

LE 9 OCTOBRE DE L'AN 1993

« Une bonne Fée ne doit pas se mêler au bonheur des humains. Même si c'est elle qui en est la cause. »

L'Almanach des Fées

C'est la quatrième fois consécutive que Sébastien est sélectionné pour un match officiel. C'est également la quatrième fois qu'il vit le match près de son entraîneur, à côté du banc de touche. Il a fait des progrès rapides et saisissants à l'entraînement ; mais Richard refuse obstinément de le laisser monter sur le terrain, au grand dam du garçon et de ses amis qui suivent chacun des matchs depuis les tribunes. Les Rollers font de bons résultats depuis le début de la saison ; jeter un très jeune joueur inexpérimenté dans la bagarre pourrait faire perdre des points précieux à l'équipe...

Pour occuper son esprit, Sébastien échange de petits gestes discrets avec Pia ; elle lui sourit et cela suffit la plupart du temps à lui conserver un moral d'acier. Depuis le mois de septembre, il a repris ses études et, pour la première fois de sa vie, il prend plaisir à apprendre...

Ce soir, les adversaires des Rollers sont les Rolling Balls, une rude équipe du nord du pays qui a remporté le précédent championnat. Le panneau de la salle affiche « 53-55 » en faveur des Rolling Balls et il ne reste plus que 37 secondes à jouer. Une furieuse mêlée se déroule au milieu du terrain. Marc, remplissant à merveille son rôle de capitaine, encourage ses troupes ; il tente désespérément de capter un ballon mal calibré et, bousculé par un adversaire, fait une lourde chute. Le chronomètre affiche 26 secondes.

Richard réclame à tue-tête un temps mort. Un des arbitres, après lui avoir signalé d'un geste éloquent qu'il n'est pas sourd, se décide enfin à siffler. Marc, grimaçant de douleur, est laissé aux bons soins du kiné ; son épaule est peut-être démise.

– Sébastien, tu prends sa place ! hurle Richard en lui montrant l'ardoise sur laquelle il a hâtivement tracé un schéma tactique désespéré.

Sébastien, complètement déboussolé, monte sur le terrain. Les Rollers sont acculés aux abords de leur raquette, pressés par leurs adversaires. Les secondes s'égrènent : 19, 18, 17...

– Sébastien, tu dors, nom de Dieu ! crie l'entraîneur en bondissant sur place. Le garçon voit alors arriver le ballon dans sa direction ; il l'intercepte d'une main moite d'émotion, fait pivoter sa chaise et se lance vers l'anneau opposé sans réfléchir. Dans un réflexe, il évite de justesse l'attaque de deux Rolling Balls qui se heurtent en jurant au beau milieu du terrain. Les supporters des Rollers se sont levés ; un étrange silence a fait place au brouhaha habituel. Pia, les mains jointes, implore la Nona. Sébastien va pénétrer dans la raquette des Rolling Balls, quand il fait volte-face...

Richard pousse un hurlement désespéré et fait mine de s'arracher les cheveux. Effaçant un défenseur revenu en catastrophe avec la ferme intention de le culbuter, Sébastien se positionne calmement derrière la ligne qui matérialise les tirs à trois points. Il lève le bras ; le chronomètre marque 2 secondes... Le ballon s'envole, décrit une courbe tendue parfaite et, sans même effleurer l'anneau, termine sa course dans le filet. « 56-55 »... Fin du temps réglementaire. Une explosion de joie succède au silence ; Bouddha, levant les bras au ciel, expédie dans les airs un plein sachet de pop-corn qui retombent en neige sur les gradins occupés par les supporters des Rolling Balls, médusés.

Sébastien pleure de bonheur, le visage enfoui dans les mains. Malgré sa blessure, Marc s'est précipité à ses côtés ; muet d'émotion, il serre le garçon dans ses bras. Les supporters envahissent joyeusement le terrain en scandant le nom du jeune joueur ; Bouddha, en tête, des pop-corn dans les cheveux, brandit un énorme drapeau aux couleurs du club dont il couvre les épaules de son ami :

– Mec, s'exclame-t-il, ce que tu as fait là, j'suis pas sûr que Michael Jordan l'aurait réussi !

À Pia qui l'embrasse, Sébastien demande :

– Colleen n'est pas là ? J'aurais aimé la remercier.

– Elle est partie à la mi-temps en disant qu'elle avait du travail. Moi, je suis là... ajoute la jeune fille avec un reproche dans la voix.

– N'est-ce pas toi qui m'as appris que la jalousie n'était pas vraiment une qualité, petite fille ? répond Sébastien...

Chapitre XI

LE 10 OCTOBRE DE L'AN 1993

« La nuit est toujours propice à la réflexion. L'obscurité semble éveiller l'esprit... »

L'Almanach des Fées

– Ça doit être ici ! s'exclame Bouddha, en désignant du doigt le bel immeuble moderne entouré d'un parc.

– Enfin ! grognent les jumeaux. Ça fait des heures et des heures qu'on marche. Vous parlez d'un chouette dimanche !

– C'est bien l'adresse que j'ai lue sur le sac de sport de Colleen, confirme Pia sans leur prêter la moindre attention.

– On va lui faire une sacrée surprise, dit Sébastien, en souriant.

Les Chicago Bulls traversent rapidement le parc.

La nuit ne va pas tarder à tomber. Quelques feuilles mortes jonchent déjà les allées asphaltées; les jours se font plus courts et l'automne s'annonce.

Martin et Nicolas poussent la grande porte vitrée et s'effacent pour permettre à Sébastien d'entrer. Le hall est vaste et cossu. La bande s'entasse joyeusement dans le plus large des deux ascenseurs...

– Huitième étage! Tout le monde descend! claironne Frédéric.

Le couloir est sombre et aucun interrupteur ne semble fonctionner; la lumière dispensée par le plafonnier de l'ascenseur ne permet pas de distinguer où se trouve l'appartement de Colleen. Les enfants sont aussitôt alertés par une curieuse odeur.

– Mince, ça pue ici! grogne Bouddha.

– On dirait un parfum d'encens, remarque Pia.

– Tu appelles ça du parfum? ricane Frédéric.

– Et si on retournait? suggèrent Martin et Nicolas.

Les portes coulissantes de l'ascenseur se referment dans un souffle. L'obscurité est maintenant totale.

– J'aime pas ça du tout! dit Sébastien.

– Et si on retournait? insistent les jumeaux.

Instinctivement, Frédéric appuie sur le bouton d'appel. Les enfants attendent une éternité, mais l'ascenseur ne remonte pas.

– Avançons ! commande Sébastien. Nous verrons bien...

À tâtons, ils progressent lentement dans le couloir ; l'odeur d'encens se fait plus entêtante.

Un bruit sourd se fait entendre. Puis un autre...

Pia pousse un petit cri de surprise. Les murs semblent maintenant résonner au rythme d'un chant lancinant.

– Sale ambiance ; ça me fiche la trouille, avoue Sébastien.

– Si Colleen habite vraiment ici, dit Bouddha, j'ai l'impression qu'elle doit avoir de sérieux problèmes...

La chaise de Sébastien heurte ce qui devrait être une porte.

– Nous y sommes ! chuchote-t-il.

À tâtons, il trouve la clenche et l'actionne nerveusement :

– C'est fermé !

Le bruit est de plus en plus puissant ; une voix aiguë et plaintive lui répond.

– Colleen est en danger ! Laissez-moi défoncer cette porte ! ordonne Bouddha.

Il recule de quelques pas, respire profondément

et s'élance en poussant son cri de guerre :

– Banzaï !

La porte ne résiste pas au coup d'épaule du plus pesant gardien de but de la banlieue. Emporté par son élan, Bouddha s'écroule au beau milieu de la pièce, aux côtés de Colleen, agenouillée à même le sol. Dans sa chute, Bouddha a culbuté les brûleurs à encens et expédié aux quatre coins du studio quelques objets hétéroclites. La jeune femme, furieuse, observe le gros garçon :

– Norbert ! hurle-t-elle d'une voix outrée. En voilà des manières...

Bouddha lui adresse un de ces sourires idiots dont il a le secret et se souvient, fort à propos, d'une phrase qu'il a entendue au cinéma :

– Vous savez que vous êtes encore plus jolie quand vous êtes en colère ?

Sébastien, Pia et les autres pénètrent à leur tour dans le studio.

– Je vois, marmonne Colleen, l'équipe est au complet.

– On te croyait en danger, explique maladroitement Sébastien.

Colleen ordonne les pans de sa longue tunique pourpre en observant les enfants tour à tour.

– Ce qui est fait est fait, commente-t-elle d'un ton désabusé. Je suppose que vous ne repartirez pas sans que je vous donne quelques explications...

Les enfants hochent silencieusement la tête de droite à gauche, hormis les jumeaux qui restent pétrifiés dans l'encadrement de la porte.

***

Sébastien observe ses amis l'un après l'autre ; tous ont le même air ahuri et incrédule. C'est Frédéric qui retrouve ses esprits le premier :

– Vous êtes une fée ! C'est bien ce que vous avez dit ? demande-t-il.

– Oui, c'est bien ce que j'ai dit, s'irrite Colleen. Mon vrai nom est Lindislane ; je suis la fille unique de la grande reine Morrigan. J'étais en conversation mentale avec elle quand vous m'avez dérangée !

– Bien ! commentent simplement les jumeaux, en déposant leur verre de jus d'orange sur la table. Nous allons vous laisser à vos « conversations mentales »...

– Non ! s'emporte Bouddha. Écoutez, Colleen ! Vous avez été très chouette avec Seb et avec nous tous. Laissez-nous vous aider à notre tour ! Vous croyez être une fée ? Ce n'est pas très grave ; il y a bien des spécialistes qui soignent les gens qui se prennent pour Napoléon ou Jules César. On va vous trouver quelqu'un...

Lindislane s'impatiente :

– Vous ne me croyez pas ?

– Si ! répondent très vite Martin et Nicolas. On s'apprêtait justement à partir. Votre mère a certainement encore beaucoup de choses à vous raconter !

– Bien sûr que non ! s'enflamme Bouddha.

La jeune femme tend la main vers le gros garçon ; entre ses doigts se matérialise un énorme bouquet d'orchidées blanches. Bouddha contemple les fleurs avec stupéfaction.

– Tu les préfères mauves, rouges, jaunes, ou bleues... s'emporte Colleen.

À chacun de ses mots, les fleurs changent de couleur, jusqu'à devenir un spectacle enchanteur et multicolore.

– Tu préfères les oiseaux aux fleurs ? poursuit la jeune femme.

Et les orchidées se muent en autant de minuscules oiseaux de paradis qui s'envolent l'un après l'autre pour se poser sur les épaules des enfants.

– L'un d'entre vous préfère peut-être les araignées ou les sangsues ? demande Colleen avec un étrange sourire au coin des lèvres.

– Nooon ! hurlent les jumeaux.

– O.K ! Colleen... ou Lindislane, comme tu veux ! dit Sébastien. Je te crois. Tout le monde te croit. Pas vrai, Norbert ?

Le gros garçon, immobile sur sa chaise, observe le colibri posé sur sa main :

– J'en reviens pas ! admet-il enfin...

Chapitre XII

LE 11 OCTOBRE DE L'AN 1993

« L'âme d'un enfant a ceci de merveilleux qu'elle ne connaît pas encore le sens du mot "préjugé"... »

L'Almanach des Fées

Il est un peu plus d'une heure du matin; les enfants sont épuisés, mais luttent contre la fatigue et restent attentifs au discours de Lindislane.

– Si je peux résumer la situation, dit calmement Sébastien, les fées existent depuis bien plus longtemps que les hommes. Nous avons même vécu en bonne entente durant des siècles...

– C'est cela, dit la jeune femme. Il fut une époque, pas tellement lointaine, où les hommes appréciaient encore notre présence. Nous étions appelées pour soigner les malades, donner des conseils ou jeter de jolis sorts aux nouveau-nés. Nous faisions de notre mieux pour vous protéger de notre plus vieil ennemi. Vous l'appelez Diable, Démon, Lucifer ou Satan ; il se nomme en réalité Anaël...

Frédéric ne peut s'empêcher de frissonner. Sébastien serre la main de Pia dans la sienne.

– Mais, poursuit Colleen, les temps ont changé et les hommes sont devenus intolérants. Ils nous ont traitées de sorcières et nous ont chassées. Cela a commencé il y a un peu plus de sept siècles.

– C'est alors qu'intervient Mélusine ! dit Pia.

– Oui. Ma mère souhaitait que nous vivions parmi les hommes, mais en dissimulant notre réelle identité. Mélusine, une fée très puissante, s'est élevée contre cette décision ; elle voulait se venger de ceux qui nous avaient persécutées et les livrer aux caprices d'Anaël. La reine n'a pas accepté son attitude et a banni Mélusine, qui a quitté notre congrégation avec quelques-unes de ses courtisanes... Ces fées maudites ont pactisé avec Anaël et luttent pour nuire aux hommes.

– Attendez, dit Bouddha, les sourcils froncés. Si je comprends bien votre histoire, votre sainte mère s'est fâchée avec cette Mélumachin au douzième siècle ?

Colleen acquiesce d'un simple signe de tête.

– Ça vous fait quel âge ? poursuit-il.

– Je suis née le vingt-trois février de l'an 712 de votre calendrier. Selon les critères humains, j'ai mille deux cent quatre-vingt-un ans et quelques mois...

– Vous ne les faites pas ! s'exclament les jumeaux, abasourdis.

– Je suis encore une jeune fée, répond coquettement Colleen en riant.

***

– Pourquoi je suis venue ? répète Colleen en écho à une question de Pia. Parce que Mélusine est ici !

Bouddha lève les yeux au plafond et soupire, incrédule :

– On peut dire que nous sommes vernis ; cette chère vieille branche a justement choisi notre banlieue pour passer ses vacances...

– Elle n'est pas en vacances, Norbert. Elle prépare une tragédie...

– Explique-nous, euh, Lindislane ! demande Frédéric.

– C'est simple, dit la fée. Pour qu'Anaël puisse pénétrer dans le monde des hommes, il faut sacrifier cinq enfants innocents, à cinq endroits bien précis...

– C'est ignoble ! se révolte Pia.

– Les lieux où se déroulent les sacrifices,

explique Colleen, sont autant de points de départ qui permettent de dessiner une grande étoile à cinq branches que l'on appelle un pentacle. Le jour du dernier sacrifice, Anaël se matérialise au centre du pentacle et sème la terreur : cataclysme, tremblement de terre, explosion, raz de marée, guerre...

Elle étale sur la table une grande carte géographique :

– Vous reconnaissez ?

– Ben oui ! crient les jumeaux. C'est notre banlieue. Ça, c'est le fleuve ; ici, la plaine de jeux ; la boutique de Magdalena est là...

– Tout juste, répond Colleen.

– Et c'est quoi, ces quatre points rouges que tu as dessinés ? s'étonne Sébastien...

– Les quatre premiers sacrifices. Le 4 mai 1990, la petite Marine, six ans, tombe du pont et se noie ici dans la rivière...

– Oui, je me rappelle, murmure tristement Pia. C'était la petite sœur d'une fille de ma classe. Colleen indique du doigt un second point rouge sur la carte :

– Le 3 mai 1991, Kevin, neuf ans, tombe du toit de sa maison ; il tentait de récupérer son cerf-volant...

L'index de Colleen se déplace vers un troisième point :

– Le premier mai 1992, un certain Sébastien se fait écraser par un camion. Il survit par miracle... Enfin, achève Colleen d'une voix blanche, le 30 avril 1993, Patrick, douze ans, est électrocuté dans sa chambre par sa console de jeux...

– C'est juste, dit Bouddha. Je le connaissais très bien ; il me prêtait souvent des cassettes. Depuis cet accident, je n'ai plus joué avec ma propre console...

– Ce n'était pas un accident ! corrige la fée. C'était Mélusine...

– Comment peux-tu affirmer une chose pareille ? s'étonne Sébastien. Des drames, il en arrive malheureusement tous les jours...

– Ces « accidents » ont trois caractéristiques que les fées appellent les « Marques d'Anaël... »

Primo, ils sont tous arrivés à 364 jours d'intervalle, ce qui représente treize mois féeriques de 28 jours, comme l'exige le rituel. Secundo, à chaque fois, Mélusine était présente, sous des formes diverses. Elle a poussé la petite fille dans l'eau, fait tomber le garçon du toit, provoqué l'écart du camion et, enfin, elle a électrocuté la dernière victime... Bien entendu, les témoins ne se rappellent jamais de sa présence... Il a fallu que j'utilise la magie pour connaître la vérité. Avant que je ne lui en parle, Sébastien ne se souvenait pas de cette horrible vieille femme qui s'était avancée sur la chaussée quand le camion est arrivé. Pas vrai ?

– Exact, confirme le garçon. Et, plus fort encore, Pino, le chauffeur du camion, n'en a aucun souvenir non plus...

La fée marque une pause pour observer son auditoire ; tout le monde l'écoute avec une attention mêlée d'effroi.

– Tertio ? s'impatiente alors Sébastien.

– Tertio, poursuit la fée, ces quatre sacrifices se sont déroulés aux endroits que je vous ai indiqués tout à l'heure. Si je relie ces quatre points, je dessine les trois premiers côtés d'une figure géométrique. Pour compléter mon dessin, dans lequel je tracerai le pentacle, il me manque un dernier point. D'après mes calculs, il se situe ici, poursuit-elle en désignant un endroit sur la carte...

– C'est une vieille usine de constructions métalliques, reconnaît Bouddha. Mon père y a travaillé quand il était jeune ; elle est abandonnée...

– Exact, dit Colleen. Le prochain « accident » aura lieu dans cette usine désaffectée le 29 avril 1994...

– Et alors, nous aurons le cinquième point ! comprend Pia.

– Parfaitement, répond Colleen. Maintenant, ajoute-t-elle en travaillant à grands traits, au départ de ces points, je trace le pentacle. Et, au centre exact du pentacle, je découvre...

– Le port pétrolier... crient les jumeaux.

– Vous avez tout compris, les enfants ! Si Mélusine commet son dernier sacrifice, Anaël surgira du néant au beau milieu du port pétrolier…

– Une étincelle et boum ! concluent les jumeaux en se regardant l'un l'autre avec stupeur. Plus de banlieue, plus de ville…

– Parfaitement, renchérit la fée. Il y a là des réservoirs qui contiennent assez d'essence pour rayer des quartiers entiers de la carte…

– Attendez ! dit Sébastien, plein d'espoir. Moi, je suis toujours vivant ; il manque un sacrifice pour compléter ton Pentacle.

– Pas du tout, répond Lindislane. Ton sang a coulé à l'endroit prévu et cela suffit à Anaël…

Après un long silence consterné, Bouddha prend une soudaine décision ; il frappe du poing sur la table :

– Il faut prévenir la police !

Lindislane le regarde avec un air désolé :

– Mon pauvre Norbert ! Tu tiens vraiment à finir tes jours dans un asile d'aliénés ? Personne ne croira cette histoire, sinon des enfants comme vous qui peuvent encore comprendre le merveilleux. De toute façon, la police, la gendarmerie ou l'armée ne peuvent rien contre Mélusine. Il faut combattre une fée avec les armes des fées. Et je compte sur vous tous pour m'aider...

– Manquait plus que ça ! gémissent Martin et Nicolas.

Chapitre XIII

LE 26 NOVEMBRE DE L'AN 1993

« Mélusine est sournoise et odieuse. Il ne faut cependant pas la mépriser. Mépriser une ennemie endort la vigilance. »

L'Almanach des Fées

L'hiver est particulièrement précoce ; ce soir, il gèle à pierre fendre et une fine couche de neige, tombée durant l'après-midi, recouvre les rues, les trottoirs et les toits des maisons. C'est avec la plus grande prudence que les habitants de la banlieue regagnent leur domicile pour le week-end.

Trop occupés à conserver leur équilibre sur les pavés gelés, les passants ne remarquent pas cette femme sans âge, au visage extrêmement pâle, qui se déplace à grands pas, sans prendre la moindre précaution. Emmitouflée dans un long manteau sombre, coiffée d'un châle épais, elle marche vers les quartiers inhabités où s'élèvent les ruines des usines qui, naguère encore, contribuaient à la prospérité de la région. Elle est bientôt seule sur le trottoir ; un esprit attentif remarquerait que ses pas ne laissent aucune trace dans la neige fraîche, comme si ses semelles ne touchaient pas vraiment le sol...

Arrivée devant un atelier abandonné, elle observe narquoisement le grand panneau qui interdit tout accès au site. D'une main ferme, elle s'empare de l'énorme cadenas qui ferme les deux battants de la grille d'entrée et le brise comme un simple fétu de paille...

En ricanant, elle pousse la barrière et pénètre dans la cour intérieure. Elle ôte manteau et châle. Vêtue d'une robe semblable à la tunique de cérémonie de Lindislane, mais noire comme une nuit sans lune, elle reste insensible au froid; ses cheveux, également sombres, tombent en cascade sur ses épaules. N'étaient-ce la pâleur de sa peau et la cruauté qui se lit sur son visage, c'est une très belle femme.

Ses lèvres laissent échapper un chant aux accents funèbres, alors qu'elle se met à tourner sur elle-même, de plus en plus vite. Bientôt, le rythme de sa danse devient affolant, inhumain. Tout à coup, une pluie de sang, venue de nulle part, éclabousse la neige alentour. La femme s'immobilise et observe attentivement la disposition des gouttelettes rouges.

– Merci pour ton message ! clame-t-elle, la tête tournée vers le ciel. C'est ici que je procéderai l'année prochaine au cinquième sacrifice. Pour te servir, Anaël !

***

Maximilien a beau être clochard depuis trente ans, le retour de l'hiver l'inquiète toujours un peu. Mais il a ses bonnes habitudes et, aux premières gelées, il emporte rapidement son maigre barda dans l'ancien atelier de constructions métalliques pour s'abriter du froid. Là, il n'est jamais importuné, si ce n'est par quelques rats farouches, et il peut faire du feu à sa guise.

Sa surprise est grande de voir la grille d'entrée entrouverte. Il étouffe un juron dans sa barbe grise ; Maximilien adore la solitude et déteste par-dessus tout que ses cachettes soient squattées par d'autres clochards. De méchante humeur, il presse le pas et découvre une grande et belle femme occupée à parler seule au beau milieu de la cour.

– Celle-là, elle a pas vite froid, grommelle le vieil homme, en observant sa tenue trop légère pour la saison…

***

– Chef, j’ai trouvé un certain Lenotre Maximilien dans la zone ouest du district ! annonce en tremblant un jeune policier, entré sans salut ni bonjour dans le bureau de son supérieur.

Le commissaire Debrus fronce les sourcils :

– Driesman, on frappe avant d’entrer ! Et on n’entre pas pour m’annoncer des idioties : tous les policiers de cette ville ont arrêté au moins une fois ce vagabond ; ici, il fait partie des meubles, vous comprenez ? Pour l’instant, je préférerais que vous vous occupiez des accidents de la route. Ce verglas est une vraie punition…

– Juste une minute, articule péniblement le jeune policier.

– Quoi encore ? tonne le commissaire qui remarque enfin le visage livide de son subalterne.

– Ce Lenotre Maximilien, je l'ai trouvé… mort !

– De froid ?

– Non, chef. On dirait plutôt qu'il a été piétiné par un troupeau d'éléphants en furie, si vous voyez ce que je veux dire. Je n'ai pu l'identifier qu'en retrouvant sa carte d'identité…

– Qu'est-ce que vous me racontez là, Driesman ?

– Je ne sais pas, avoue le jeune homme. Mais, en entrant dans votre service, je ne pensais pas que je verrais un jour un truc comme ça !

Chapitre XIV

LE 19 JANVIER DE L'AN 1994

« Une âme pure peut transformer la matière à sa guise. »

L'Almanach des Fées

Lindislane est épuisée ; de larges cernes sombres entourent ses yeux fiévreux et ses cheveux en désordre ont perdu leurs jolis reflets dorés.

Dans la petite cuisine de son studio, aménagée à la hâte en laboratoire de fortune, elle s'affaire à mélanger des produits à l'aspect curieux. Des volutes de fumée âcre s'échappent d'une cornue, tandis qu'une matière brune bouillonne dans une casserole…

Sébastien l'observe avec attention ; depuis le matin, il lui sert d'assistant et obéit à

ses instructions en silence.

– Nous y sommes presque, murmure la fée dans un souffle.

Elle soulève délicatement la casserole et vide une partie de son contenu dans un large creuset de pierre grise. Les vapeurs qui s'élèvent la font tousser. Sébastien grimace ; l'odeur est insoutenable. En quelques secondes, la matière se fige ; aussitôt, Lindislane s'empare de la cornue fumante et verse une rasade du liquide incolore dans le creuset. La réaction chimique est instantanée : le mélange crépite et une formidable fumée s'élève en tourbillonnant.

– Ouvre la fenêtre, Seb !

À moitié étouffé, le garçon déplace sa chaise et exécute l'ordre de la fée. Quelques instants plus tard, l'air dans la pièce est redevenu presque respirable.

– C'est réussi ? demande Sébastien.

– Encore quelques minutes de patience...

***

La fée retourne précautionneusement le creuset pour démouler son contenu. Une masse irrégulière et solide, de la taille d'une balle de tennis, roule sur la table.

– C'est ça ? demande le garçon, un peu déçu.

– Non, répond Lindislane avec un sourire fatigué.

Ce que tu vois là n'est qu'une enveloppe ; le trésor est à l'intérieur.

Elle sort d'un tiroir un petit marteau de joaillier et, d'un geste précis, brise la gangue brunâtre. Sébastien ne peut retenir un cri stupéfait et émerveillé. Au beau milieu des débris repose une pierre amarante, parfaitement ciselée. Elle brille de mille feux ; mais, contrairement à un quelconque joyau, ses reflets rougeoyants vont et viennent au rythme des pulsations d'un cœur généreux.

– C'est magnifique, s'extasie le garçon. On croirait qu'elle est vivante.

– Elle l'est à sa façon, commente la fée.

Les hommes l'ont baptisée « pierre philosophale » et des milliers de leurs alchimistes tentent sans succès de la recréer depuis la nuit des temps. Les fées, la nomment « pierre première »...

– À quoi va-t-elle nous servir ?

– Elle a le pouvoir de transformer le plomb en or, la mort en vie et la haine en amour. Elle me sera très utile lors de notre combat contre Mélusine.

***

Marc Ménart est un grand gaillard d'une trentaine d'années au caractère solidement trempé. Responsable de la sécurité du port pétrolier, il surveille inlassablement les dangereuses installations dont il a la charge. Marc a le sens du devoir ; il sait que le moindre incident pourrait avoir des conséquences tragiques. Chaque jour, des péniches remontent la rivière depuis la mer pour alimenter le port fluvial en carburant ; chaque jour, des dizaines de camions-citernes viennent s'approvisionner auprès des gigantesques réservoirs…

Depuis la salle de contrôle, au dernier étage du bâtiment qui abrite les bureaux, Marc peut observer la banlieue qui entoure son domaine. Il n'est pas bien tard, mais le soleil est déjà couché et une brume déplaisante et humide s'est abattue sur la région…

– Entrez ! marmonne l'ingénieur en réponse à quelques coups frappés à sa porte. Un homme de grande taille, en costume gris, pénètre dans le bureau. Marc ne se laisse jamais impressionner, mais il ne peut s'empêcher d'éprouver un sentiment déplaisant en découvrant son visiteur. « Quelle sale tête ! » pense-t-il.

Sans y être invité, l'homme prend place dans un fauteuil. Il est parfaitement impossible de lui donner un âge : les traits de son visage au menton pointu semblent avoir été taillés à la hâte; ses cheveux noirs, rejetés en arrière, luisent désagréablement sous la lumière des néons; son regard, à la fois fuyant et inquisiteur, est difficile à saisir.

– Je suis le nouveau directeur du service de sécurité, affirme-t-il sans préambule.

– Enchanté, grommelle Marc, mal à l'aise.

– À bien vous observer, on ne dirait pas ! ricane l'homme.

Il croise et décroise furtivement les jambes, allume une cigarette, et poursuit :

– Peu importe. Vos états de service sont satisfaisants, monsieur Ménart. Mais vous n'avez jamais été confronté à une vraie crise, à un réel danger…

– Je prends justement toutes les précautions qui

s'imposent pour éviter une crise ! s'insurge Marc. Par exemple, je n'admets pas que l'on fume sur le site.

– Bien sûr, cher ami, bien sûr, répond l'homme en exhalant pensivement des ronds de fumée. J'ai pensé qu'un petit exercice vous ferait le plus grand bien, à vous et à vos hommes… Que diriez-vous du 29 avril au soir ?

Marc feuillette nerveusement son agenda :

– C'est un vendredi...

– Allons ! Vous n'allez pas me faire croire que vous êtes superstitieux…

Chapitre XV

LE 28 AVRIL DE L'AN 1994

« Ce sont les épreuves et les dangers qui révèlent la vraie nature des hommes. »

L'Almanach des Fées

– Tout le monde a bien compris la manœuvre? demande Lindislane.

Les six enfants hochent affirmativement la tête en silence. L'ambiance est tendue et les visages anxieux. Dans les coupes, la crème glacée de Magdalena fond doucement; c'est à peine si Norbert a avalé deux cuillerées de pistache...

– Il ne nous reste plus qu'une chose à décider, poursuit la fée. Pour fermer le pentacle, Mélusine va lancer un sortilège sur la banlieue. Un enfant quelconque, fille ou garçon, va ressentir l'envie soudaine de se rendre dans l'usine où il sera sacrifié. Je peux user de ma propre puissance magique pour lui faire rebrousser chemin. Mais il me faut trouver parmi vous un volontaire pour servir d'appât à Mélusine !

Les jumeaux ne bronchent pas ; Frédéric regarde distraitement sa montre...

– J'irai ! dit Norbert, d'une voix un peu tremblante. Cette vieille bique ne me fait pas peur !

– C'est hors de question ! rétorque Sébastien, ponctuant sa remarque d'un grand coup de poing sur la table. C'est à cette vieille bique, comme tu dis, que je dois d'être dans cette chaise. J'ai un compte personnel à régler avec elle !

– C'est comme tu l'entends, dit la fée. Mais tu devras l'affronter sans haine et sans peur, sinon tu seras une proie trop facile pour elle...

– Compris, répond Sébastien, le visage fermé.

Pia renifle bruyamment. Martin lève le doigt, comme s'il était en classe :

– Une petite question pour résumer l'affaire : si notre plan échoue, le port pétrolier explose ?

– Certainement, répond fermement Lindislane. Il ne s'agit pas d'un jeu, les enfants...

– Et si le port pétrolier explose, affirme Nicolas, résigné, nous disparaîtrons bien entendu tous en fumée !

– T'as tout pigé ! déclare Bouddha.

***

– Je ne me fâche pas ! vocifère le commissaire Debrus dans le cornet du téléphone. Mais vous avouerez quand même que vous avez choisi le jour pour entamer vos grandes manœuvres !

À l'autre bout de la ligne, Marc Ménart tente de rester calme :

– Je vous répète qu'il ne s'agit que d'un ex-er-ci-ce ! Et je vous demande seulement si vous pouvez m'envoyer quelques hommes pour éloigner les éventuels curieux du site.

– Un ex-er-ci-ce, imite le commissaire. Il me manque déjà une dizaine de gaillards pour surveiller ce maudit district en temps normal ! Et vous, mon très cher Monsieur, vous m'organisez une superproduction un vendredi soir, avec pompiers, protection civile et tout le bazar...

– C'est une décision qui a été prise par ma direction !

Le commissaire assène quelques jurons bien sentis à son interlocuteur et raccroche. Il se précipite vers la porte de son bureau et hurle dans le couloir :

– Driesman !

– Oui, chef !

– Demain soir, vous irez au port pétrolier

pour jouer à la « catastrophe nationale » avec trois hommes...

– Je suis en congé demain, chef! C'est l'anniversaire de ma belle-mère.

– Congé annulé, Driesman ! De toute façon, votre belle-mère rate toujours ses gâteaux d'anniversaire...

Chapitre XVI

LE 29 AVRIL DE L'AN 1994

« Nous combattons le Mal par le Mal. Il faut un Pentacle pour lutter contre le Pentacle. »

L'Almanach des Fées

Sébastien est seul avec sa peur. Rien ne peut apaiser les battements de son cœur ; ils résonnent dans ses tempes à un rythme accéléré. Depuis le matin, il erre dans la cour intérieure de l'atelier désaffecté. Il en connaît maintenant les moindres recoins. Le soleil de printemps, timide en début de journée, a fini par chasser les derniers nuages ; l'atmosphère est anormalement lourde et chaude. Le jeune garçon guide sa chaise vers un endroit ombragé. Il regrette de n'avoir pas emporté un peu d'eau pour se rafraîchir…

***

Dans son potager, la vieille Nona observe avec attention les traces brillantes qu'ont dessinées les escargots sur le sol. « Ce n'est pas un bon présage, ça ! » décrète-t-elle silencieusement avant de rentrer pour prier…

***

Marc Ménart consulte fébrilement sa montre ; ce fameux nouveau directeur n'a pas encore montré le bout de son nez et cette absence le rend curieusement nerveux.

– Voilà le scénario de ce soir, résume-t-il à l'attention de ses hommes. À 21 heures, une fuite sera détectée au réservoir B. L'alarme sera donnée à cet instant précis. Je ne veux pas de mouvement de panique ; il ne s'agit que d'un ex-er-ci-ce !

***

Sébastien est de plus en plus fébrile ; le soleil sera bientôt couché et l'usine abandonnée reste déserte. Les ombres s'étendent maintenant de façon menaçante ; le garçon a faim et soif…

***

Le policier Driesman met en route le moteur de sa camionnette d'intervention.

– Tu tires la tête ? interroge un de ses trois collègues.

– À cette heure-ci, maugrée-t-il, je devrais être

en train de prendre tranquillement l'apéro à la maison…

***

Un bruit de pas sur les pavés... Sébastien sursaute ; il fait maintenant nuit noire. L'éclairage public de la route, pourtant proche, ne dispense qu'une faible clarté orangée dans la cour. Secrètement, le garçon espère que Lindislane s'est trompée et que c'est elle qui vient le rechercher. Il n'ose pas faire le moindre mouvement…

***

– Fuite repérée au réservoir B !

Le message du gardien est clair et bref; Marc Ménart déclenche aussitôt le système d'alarme du port pétrolier. La population de la banlieue a été prévenue de longue date ; nombreux sont pourtant ceux qui sursautent en entendant la plainte des sirènes.

***

Les sens en éveil, le jeune infirme se tient aux aguets, les mains cramponnées aux roues de sa chaise.

– Bonsoir, Sébastien !

La voix provient de derrière le garçon ; avec un hurlement de stupeur et de surprise, il fait volte-face et découvre une grande femme aux cheveux noirs qui le regarde en souriant.

– Qui êtes-vous ? bredouille-t-il.

Il comprend immédiatement que sa question est profondément stupide.

– Belle nuit pour mourir, se contente de remarquer placidement la fée maudite. Cette situation est très excitante : je t'ai choisi une première fois et c'est encore toi qui retombes dans mes griffes pour compléter le pentacle. De mémoire de fée, c'est un cas unique dans les annales. Le hasard est parfois capricieux…

***

Après sa ronde, Francis Driesman revient d'un pas nonchalant à la large porte d'entrée des installations du port fluvial ; il s'ennuie profondément.

Les lampes bleues des véhicules d'intervention zèbrent la nuit ; des pompiers courent en tout sens ; les gars du service de sécurité hurlent des ordres et des recommandations. Quelques rares badauds se sont attroupés derrière les barrières nadar...

– Tout va bien, Henry ? demande à tout hasard le policier.

– 'Ya un drôle de gars qui vient d'entrer, répond son collègue. Une tête pas croyable...

– Je t'avais dit de ne laisser entrer personne !

– Et lui, il m'a dit qu'il était de la boîte. Un directeur, avec un splendide costume gris et une grosse mallette en cuir. J'ai même vu sa carte…

Un curieux pressentiment envahit Francis. Il retire son képi et l'examine comme s'il allait lui parler.

– Il est allé par où, ton bonhomme ?

D'un geste vague, le second policier désigne l'aile gauche du port pétrolier :

– Je m'suis même dit que c'était bizarre, vu que l'exercice a lieu de l'autre côté…

– Henry, bon sang ! s'exclame Francis Driesman. On t'a jamais dit que t'avais rien dans la caboche, toi ?

***

Sébastien lutte pour retrouver le contrôle de son esprit. Il sait que Lindislane lui a donné des instructions précises qu'il a juré de suivre à la lettre. Mais le regard enjoué de Mélusine transperce son âme et le prive de toute raison. D'une voix suave, elle le torture.

« Ne pas la haïr ! » se souvient le garçon. Et ce simple message le rassérène. Il se souvient maintenant de ce qu'il doit faire. Sans quitter l'immonde fée des yeux, il recule lentement puis s'élance à toute allure vers la sortie, comme s'il cherchait à fuir son destin. Mélusine croasse un ordre bref, dans un langage incompréhensible. La double porte se referme dans un boucan infernal ; un énorme cadenas se matérialise aussitôt pour boucler la barrière. Il semble même à Sébastien que le cadenas émet un petit rire métallique. « Ne te laisse pas abuser par ses sortilèges ! »

– Facile à dire ! commente le garçon à voix basse.

Mélusine ricane :

– Pris au piège, le pauvre petit oiseau à roulettes !

Sébastien a profité de la diversion pour se rendre au beau milieu de la cour, à l'endroit précis où Lindislane a tracé un repère discret à l'aide d'une craie rouge…

***

– Marc ! Un policier pour toi sur le téléphone

intérieur.

– Ma voiture est mal stationnée? plaisante l'ingénieur.

Après un bref entretien, le visage de Marc Ménart devient cramoisi. Il passe une main tremblante sur son front où perlent quelques gouttes de sueur. En homme d'action, il reprend rapidement la situation en main :

– Je veux en avoir le cœur net ; on se retrouve au pied du réservoir D, dit-il à l'attention de Francis Driesman…

***

Mélusine s'approche lentement de Sébastien en passant derrière la chaise et lui caresse distraitement les cheveux du bout des doigts. Le garçon fait un effort surhumain pour ne pas hurler.

– Je crois que le moment est arrivé, petit oiseau.

Le jeune infirme est persuadé que tout espoir est perdu. Deux grosses larmes glissent doucement sur ses joues ; il a une pensée émue pour Pia…

***

– C'est sûrement lui, là-bas ! indique le policier à Marc Ménart.

Les deux hommes restent figés ; au pied du réservoir D, ils distinguent un individu en costume gris qui s'affaire à un travail mystérieux.

L'ingénieur comprend immédiatement :

– Ce salaud est en train de me saboter une vanne.

Francis Driesman dégaine son pistolet de service et retire le cran de sécurité; Marc réagit instantanément :

– Je vous interdis formellement de tirer! Vous allez tout faire sauter.

– Bah, répond le policier en rengainant son arme à contrecœur, j'ai dans l'idée que ce bonhomme s'en chargera bien à ma place si on n'intervient pas. Et vite !

***

Mélusine joue cyniquement au chat et à la souris avec sa malheureuse victime; ses bras dessinent de curieuses arabesques, alors qu'elle récite la formule rituelle qui va fermer le pentacle et libérer les monstrueux pouvoirs d'Anaël.

– Pour te servir, mon Maître !

***

C'est une bête hideuse que Marc et Francis observent avec dégoût. Sous leurs yeux, l'homme s'est brutalement transformé en un monstre indescriptible, surgi du pire des cauchemars. Son regard fou scrute le ciel avec impatience; la Bête attend un signe ultime avant de semer la désolation. Des flammèches irréelles, aux reflets bleutés, jaillissent de ses doigts crochus.

Marc sursaute quand il remarque enfin le bruit inquiétant du carburant qui éclabousse le sol en s'écoulant de la vanne grande ouverte…

– C'est le… Le diable en personne ! bafouille Francis qui tremble comme une feuille.

– Diable ou pas, rétorque Marc, je ne le laisserai pas faire !

Et il s'élance en direction de la créature…

***

La Nona arrête de tricoter ; la pelote de laine glisse de ses genoux et roule sur le parquet.

– Seigneur Dieu ! implore-t-elle. Le Mal est revenu parmi les hommes…

***

Cette fois, Sébastien sait sa dernière heure venue. Il a l'impression que des mains d'acier lui compriment la poitrine. Il va mourir étouffé, abandonné de tous...

La grille de l'usine vole en mille morceaux qui s'éparpillent en tout sens dans un terrible bruit de ferrailles tordues. Les Chicago Bulls, emmenés par Lindislane, pénètrent au galop dans la cour. La fée aux cheveux blonds s'immobilise quelques mètres devant son ennemie, les bras croisés sur la poitrine, la tête bien droite, dans une attitude de défi.

Sans réfléchir, comme de parfaits soldats qui ont cent fois répété la manœuvre, les enfants se précipitent et s'agenouillent chacun à un endroit précis, marqué d'un trait de craie. En quelques secondes, ils composent un pentacle vivant autour de Mélusine. Celle-ci, un instant surprise, se ressaisit rapidement :

– Tu crois me vaincre avec tes maigres pouvoirs et une troupe aussi lamentable ? ricane-t-elle. Je vais vous balayer, toi et tes polichinelles...

***

Avant de pouvoir toucher la Bête, Marc est repoussé par une force invisible. Impuissant, il décolle littéralement du sol gorgé d'essence ; son corps va se fracasser contre une rambarde métallique. Francis dégaine son arme de service et hurle les sommations d'usage :

– Police ! Rendez-vous ou je tire !

Le monstre l'observe d'un œil mauvais et pousse un cri qui pourrait être un rire épouvantable.

***

Lindislane soutient longuement le regard de Mélusine. Elle décroise lentement les bras, révélant la pierre première qui pend à son cou, attachée à un collier d'or blanc. La pierre irradie une lumière brillante qui nimbe aussitôt la fée d'un splendide halo amarante. Agenouillé, prêt à l'action, Norbert est subjugué par le spectacle : « Si l'amour a une couleur, ça doit être cette couleur-là ! » pense-t-il, ému.

– La pierre première, dit Lindislane d'une voix tranquille, transforme la haine en amour ; elle te paralyse…

– Traîtresse ! la maudit Mélusine, figée, les traits décomposés par la colère.

Sébastien n'en croit pas ses yeux ; il retrouve peu à peu ses facultés et s'écarte discrètement de son bourreau.

– Le pentacle ! ordonne Lindislane.

Bouddha, Frédéric, Pia et les jumeaux obtempèrent de concert ; chacun d'entre eux dépose une bougie blanche sur le sol et tire un briquet de sa poche.

– Sauve-toi, Sébastien ! supplie Pia.

Le garçon s'éloigne du plus vite qu'il le peut et se réfugie aux côtés de Norbert.

Mélusine reste pétrifiée ; les enfants actionnent fébrilement leurs briquets. Les mèches des bougies s'enflamment, du moins quatre d'entre elles...

– Flûte, grogne Bouddha, mon briquet ne fonctionne pas !

Les traits de Lindislane se figent ; le pouvoir de la pierre, dont l'éclat faiblit, ne peut retenir indéfiniment la pire des fées. C'est Frédéric qui réagit le premier : il lance son briquet en direction de Bouddha. Mais, comme l'éclat de la pierre première se ternit, Mélusine retrouve sa puissance ; elle lance une brève incantation et la trajectoire du briquet se modifie ; en tourbillonnant, il passe largement au-dessus de la main désespérément tendue de Norbert. Anticipant instinctivement l'action, Sébastien a propulsé sa chaise en arrière. Le plus jeune joueur des Rollers parvient à récupérer l'objet et, d'un geste sûr, l'expédie à Bouddha qui l'intercepte avec un cri de triomphe... La cinquième bougie allumée, Mélusine pousse un gémissement rauque ; son visage et ses mains se couvrent d'écailles aux reflets verdâtres et elle s'affaisse lentement. Quelques secondes plus tard, elle disparaît dans un petit nuage de poussière nauséabonde…

***

Le doigt crispé sur la détente, Francis constate avec ahurissement qu'il ne tient plus rien ni personne en joue. Le monstre qu'il distinguait au bout de son viseur s'est évanoui comme s'il n'avait été qu'une ignoble illusion.

Un gémissement se fait entendre ; c'est Marc qui appelle. Le policier se précipite et découvre l'ingénieur, le visage en sang.

– J'appelle une ambulance tout de suite !

– Non, gémit l'ingénieur. Boucle-moi d'abord cette maudite vanne !

***

La Nona se lève, traverse sa chambre à petits pas et récupère sa pelote de laine.

– Il est parti comme il est venu, chantonne-t-elle sur un air connu d'elle seule. En retournant s'asseoir dans son fauteuil, elle lance un clin d'œil complice au crucifix qui décore la cheminée…

***

– Approche, Sébastien ! demande Lindislane, mettant un terme aux embrassades et aux cris de joie des enfants.

Sébastien se détache du groupe de ses amis et rejoint la fée qui se tient un peu à l'écart. Elle protège la pierre première dans ses mains jointes.

– Tu te souviens de ce que je t'ai dit le jour où

nous avons joué aux alchimistes?

– Au sujet de la pierre?

La fée l'encourage d'un hochement de tête.

– Tu m'as dit qu'elle avait le pouvoir de transformer le plomb en or, la haine en amour et la mort en vie!

– Bien, dit Lindislane, en se penchant doucement vers le jeune infirme. La pierre a beaucoup souffert dans l'affrontement, mais il lui reste assez d'éclat pour te rendre immortel si tu le souhaites. Ce sera mon cadeau pour te remercier de m'avoir si bien aidée.

Sébastien sourit à la fée ; il tourne la tête et observe longuement Pia :

– Lindislane, ce serait un cadeau merveilleux...

Il hésite, réfléchit un court instant :

– Je ne peux pas accepter. À quoi bon être immortel alors que celle que j'aime va vieillir. Garde ta magie pour quelqu'un d'autre!

La fée, émue, sanglote et rit à la fois :

– Tu es un trop chic type, Seb. Touche tout de même cette pierre ! Tu ne le regretteras pas...

Chapitre XVII

LE 6 MAI DE L'AN 1994

« La science des hommes est curieuse. Selon leurs critères, ce qu'ils ne comprennent pas n'existe pas. »

L'Almanach des Fées

Extrait du Journal personnel du Dr B. Kellinckx

Depuis le début de ma carrière, il m'est arrivé plus d'une fois de rencontrer des phénomènes a priori curieux, surprenants, inexplicables.
Chaque fois, j'ai heureusement pu découvrir une explication rationnelle, scientifique...
Ce que j'ai vu ce matin restera certainement un immense mystère, une étrange démonstration des limites de la science.

Quand le jeune Sébastien est entré dans mon cabinet de consultation, je l'ai immédiatement reconnu. J'avais opéré ce garçon le 1er mai 1992 à la suite d'un accident de circulation. Je n'avais malheureusement rien pu faire pour sauver ses jambes ; la blessure dont il souffrait était irréparable. J'ai encore en mémoire le cri qu'il a poussé lorsque je lui ai expliqué qu'il était paraplégique.

Ce matin il m'a fallu plusieurs secondes avant de réaliser que Sébastien se tenait debout devant moi. Il était entré en marchant, comme si c'était la chose la plus naturelle au monde...

Il m'a serré la main et m'a gentiment demandé si j'allais parfaitement bien. Il est vrai que mon visage devait avoir un curieux aspect. Je me suis effondré dans mon fauteuil. Il m'a alors placidement déclaré que sa mère souhaitait que je l'ausculte. La pauvre femme voulait s'assurer que son fils ne subirait pas de rechute dans les prochaines semaines (sic !). Je suis resté muet de surprise...

Lorsque j'ai repris mes esprits, je l'ai obligé à s'étendre sur le lit de consultation. J'ai demandé son dossier médical à l'infirmière de garde...

Ce soir, j'ai sous les yeux deux séries de radios qui détaillent la colonne vertébrale de Sébastien.

La première série date du 1er mai 1992, la seconde de cet après-midi. Je ne peux sincèrement pas croire ce que voient mes yeux...

Sinon, je dois admettre que les miracles existent. Et si je commence à croire aux miracles, je croirai bientôt aux génies dans les vieilles lampes à huile, aux anges gardiens et aux bonnes fées...

En attendant, Sébastien marche et il ne subsiste aucune trace des abominables lésions dont il a tant souffert...

Avant de quitter l'hôpital, il a prononcé une phrase que je recopie ici afin de ne jamais l'oublier. Il m'a dit : « Je me suis levé et j'ai marché. C'est simple comme bonjour, docteur ! »

Chapitre XVIII

LE 7 MAI DE L'AN 1994

« Une Fée doit avoir autant d'astuce pour entrer dans la vie d'un homme que de discrétion pour disparaître... Les larmes laissent toujours de vilains souvenirs. »

L'Almanach des Fées

Couché sur son lit d'hôpital, Marc Ménart réfléchit. Un formidable bandage orne son crâne; son bras droit, entièrement plâtré, est maintenu en extension par un mécanisme complexe.

– Je ne sais pas... finit-il par avouer, impuissant.

Francis Driesman hoche la tête :

– Le commissaire insiste pour avoir un rapport complet sur ce qui s'est passé.

– Et si tu lui racontes ce que nous avons vraiment

vu, tu es mûr pour la camisole de force !

– Il se fera un plaisir de me la passer lui-même…

***

Pour la vingtième fois, Martin mystifie Frédéric d'un dribble astucieux et expédie un magnifique ballon en cloche en direction de son frère jumeau. Attentif, Nicolas arme sa reprise de volée...

Bouddha devine qu'il va encore se faire fusiller sur sa ligne de but. À la dernière seconde, Sébastien s'interpose et, d'une pichenette subtile, prive le centre-avant de la balle qu'il convoite.

– Magnifique ! se réjouit Norbert. Ça, c'est un défenseur ! Prends-en de la graine, Frédéric !

Ivre de bonheur, Sébastien fonce à toutes jambes vers la cage adverse, évite des adversaires fantômes sous les vivats d'un public irréel et inscrit un but d'anthologie...

– Sébastien !

C'est Pia qui rejoint la plaine de jeux en courant. Elle traverse la piste en cendrée. Sébastien voit aussitôt que son visage est inondé de larmes.

— Sébastien, Colleen est partie...

Elle se jette dans les bras de son ami et se blottit contre lui, secouée par des sanglots :

– Elle est partie ! Elle a juste laissé une lettre pour toi chez Magdalena.

Tremblant, le garçon s'empare de la feuille de

papier bleu azur que lui tend Pia. À voix haute, il lit le message aux Chicago Bulls qui se sont rapidement rassemblés autour de lui :

Seb,

Nous avons fait un bout de chemin ensemble : longtemps tu resteras dans ma mémoire comme un être courageux et merveilleux. La mémoire des fées est très fidèle, crois-moi !

Je dois quitter ta vie et celle de tes amis. Les fées ne doivent pas se mêler au monde des hommes lorsque la situation ne l'exige plus...

Tu es assez grand et fier pour poursuivre seul le voyage. Tu seras champion cycliste, si tu le veux vraiment. Ou champion de basket. Ou ce que tu choisiras d'être...

Comme je te connais, tu vas peut-être bouder un peu et prétendre que je te laisse tomber. Réfléchis bien ! Un petit oiseau ne souhaite jamais apprendre à voler : il est trop bien dans son nid douillet pour vouloir le quitter. Mais, quand il a enfin appris à se servir de ses ailes et qu'il découvre la liberté, alors rien ne peut le retenir.

Tu sais voler, maintenant. Quitte le nid, Seb !

Et surtout, réalise tous tes rêves.

Grosses bises à toi, à Pia, Norbert, Frédéric et

aux jumeaux. Vous avez tous été fa-bu-leux !!!

Colleen/Lindislane

– C’était un sacré beau brin de fille! soupire Bouddha.
– Un sacré beau brin de fée, tu veux dire! enchaîne Frédéric.
Martin éclate de rire, suivi par son frère. Les autres enfants, malgré leur tristesse, ne peuvent s’empêcher de les imiter...

Epilogue

LE 6 JUIN DE L'AN 1994

« Le principe du maléfice est qu'il recommence à l'instant précis où il se termine. La fin et le début des choses ne sont que le côte pile et le côté face d'une même pièce de monnaie. »

L'Almanach des Fées

D'autres faubourgs, près d'une autre grande ville dans un autre pays...

Erika s'est levée très tôt. Sur la pointe des pieds, elle quitte la maison. Pour son dixième anniversaire, papa lui a offert une canne à pêche en bambou. C'est à l'aube que le poisson mord le plus volontiers à l'hameçon. Le vieux vélo de maman est trop grand ; Erika se tient en danseuse. Un quart d'heure plus tard, elle quitte la banlieue et emprunte un chemin agricole au tracé sinueux. Bientôt, elle aperçoit la rivière. Près d'un bosquet de saules pleureurs, elle met pied à terre et prépare son matériel. L'endroit est réputé dans toute la région pour ses pêches miraculeuses. Le cours d'eau décrit un large méandre ; avec le temps, il a creusé profondément son lit dans la berge. Les amateurs de poisson, et papa en est un, savent que les truites viennent souvent se réfugier dans ces eaux plus calmes pour échapper aux caprices du courant.

Erika lance sa ligne avec adresse et suit attentivement les évolutions du petit bouchon de liège rouge et blanc. Papa lui a appris que rien ne doit jamais distraire un bon pêcheur de son flotteur.

– Tu te débrouilles bien, Erika ! dit une voix. La fillette tressaille ; depuis combien de temps cette grande et belle femme aux cheveux noirs est-elle assise à côté d'elle ?

– C'est mon père qui m'a montré. Ici, il a déjà attrapé vingt-neuf truites sur une seule matinée...

– Drôlement fort, commente la femme. Un réel malaise commence à gagner Erika ; elle ne se souvient pas avoir jamais rencontré cette dame auparavant. Comment connaît-elle son nom ?

– Vous êtes de la région ? demande-t-elle, sans quitter son flotteur des yeux.

La femme ne répond pas. Elle se contente de fermer les yeux et de sourire.

Une truite doit taquiner l'hameçon ; le bouchon vient de glisser imperceptiblement à contre-courant. Erika laisse doucement filer sa ligne.

– Tu sais nager ? demande la femme d'une voix neutre.

– Non ! répond la fillette, prête à ferrer le poisson.

– Comme c'est dommage !

FIN

Achevé d'écrire le 12 mars 1994, à Sarolay, à quelques heures de marche du Royaume des Fées.